Rakontoj el Amazono

La Saĝeco de la Hinda Maloa Maljunulo

Kumeŭaŭa, la filo de la ĝangalo

Tibor Sekelj

Kumeŭaŭa, la filo de la ĝangalo(Esperanta originalo)

인　쇄 : 2022년 10월 19일 초판 1쇄
발　행 : 2022년 10월 26일 초판 1쇄
지은이 : 티보르 세켈리(Tibor Sekelj)
해설가 : 오태영(Mateno)
표지디자인 : 노혜지
펴낸이 : 오태영(Mateno)
출판사 : 진달래
신고 번호 : 제25100-2020-000085호
신고 일자 : 2020.10.29
주　소 : 서울시 구로구 부일로 985, 101호
전　화 : 02-2688-1561
팩　스 : 0504-200-1561
이메일 : 5morning@naver.com
인쇄소 : TECH D & P(마포구)

값 : 10,000원(7USD)
ISBN : 979-11-91643-72-5(43890)

Rakontoj el Amazono
La Saĝeco de la Hinda Maloa Maljunulo

Kumeŭaŭa, la filo de la ĝangalo

Tibor Sekelj

Komentario Mateno

Eldonejo Azalea

NOTO PRI LA AŬTORO

Tibor Sekelj (1912-1988) estas unu el la plej popularaj verkistoj en Esperanto. Li verkis interese, ĉar lia vivo estis tia: mondvojaĝanto, kiu priskribas sian mondon. Preskaŭ ĉiuj liaj libroj estas aŭtobiografiaj: Tempesto super Akonkagvo (1959), Nepalo malfermas la pordon (1959), Tra lando de indianoj (1970), Kumeŭaŭa, la filo de la ĝangalo (1979), Mondo de travivaĵoj (1981), Ĝambo rafiki (1991), Kolektanto de ĉielarkoj (1992), Temuĝin, la filo de la stepo (1993). Ankaŭ lia antologio de la buŝa poezio Elpafu la sagon (1983) estas rezulto de liaj multaj esplorvojaĝoj. Ĉi tiu romaneto fariĝis la plej furora verko de Sekelj kaj jam aperis en dudeko da naciaj lingvoj.

ENHAVO

Antaŭparolo por speciala eldono en Azio

Karaj Aziaj geamikoj!

Mi imagas vin, kiel pasaĝerojn de granda ŝipo JAĈIKO (Japanaj, Ĉinaj, Koreaj Esperantistoj), kio flosas sur la rivero Esperanto.

Mi deziras, ke via ŝipo neniam ricevu ŝiprompiĝon, sed vi sur la paĝoj de la libro renkontiĝu kun la indianeto Kumeŭaŭa.

Lernu de li kaj neniam forgesu la simplajn sed por eterne valorajn instruojn de maljuna Maloa.

Mi deziras al vi sukceson por la 10a Azia-Oceania Kongreso de Esperanto en urbo Busan, Koreio!

18 Oktobro 2022
Elizabeto

1. KIEL SIN PREZENTAS INDIANO

- Jaguaro!...Jaguaro!

Tiu ĉi krio aŭdiĝis plurfoje el la buŝo de miaj kunvojaĝantoj, dum kelkaj el ili staris apogante sin sur la ferdekbarilojn de nia ŝipeto, kaj aliaj kurante supreniris la ŝtuparon por eliri sur la ferdekon.

Ankaŭ mi estis altirita[1] de la krioj kaj alveninte sur la ferdekon, mi vidis nekutiman scenon. Meze de la kreskinta rivero drivis insuleto en la direkton kontraŭan al nia navigado, portata de la forta akvofluo.

Nia rivero, Aragvajo, alfluanto de Amazono[2], en Suda Ameriko, estas kaprica[3] rivero. Ofte sur ĝi okazas, ke la forta fluo deŝiras kaj kunportas pecon de la riverbordo, kune kun la arboj kaj bestoj, kiuj sur ĝi troviĝas.

---

1) 이끌리다 ①esti gvidita (kondukita, altirita). ② (마음이-)esti ravita (allogita, altirita).
2) 아마존 (-강) Amazono. ~의 이명 (異名) Maranjo.
3) kapric-o ①일시적 기분, 변덕, 불시에 일어난 생각, 변덕맞은 생각. ② (유행 따위의)갑작스러운 변화(변덕). ~a 변덕스러운, 변화무상한. ~a pluvo 오다 말다 하는 비. ☞ freneza, stranga, arbitra, fantazia. ~ e 변덕스럽게. ~i [자] 변덕스럽다, 변덕맞은 생각을 갖다. 변화무상하다. ~ulo 변덕쟁이.

La fingroj de la pasaĝeroj montradis en la direkton de la flosanta insuleto. Ili estis tre ekscititaj. Sekvante per la rigardo iliajn montrofingrojn, mi malkovris la kaŭzon de ilia ekscitigo.

Antaŭ unu el la arbustoj, sur la insuleto, staris jaguaro[4], la plej granda kaj plej danĝera sovaĝbesto de la sudamerikaj ĝangaloj.

Jam plurfoje mi estis vidinta jaguaron en la praarbaro. Ĉiam ĝi aspektis majesta, fiera, elasta, preta al atako. Sed tiu ĉi jaguaro havis nenion el sia kutima memkonscia konduto. Ĝia flava felo kun nigraj makuloj, malseka kaj malpura, donis al ĝi aspekton de malsekiĝinta kato. Senespere ĝi premis sin al arbo. Ĝi rigardis nin per humila rigardo, almozpetante ies helpon. Sed ni ne povis helpi al ĝi.

Kaj dum ni kun kompato ĝin rigardis, la 'reĝo de la ĝangalo' drivis laŭ la rapida fluo de la akvo, atendante ke la insuleto disfalu, kaj ke ĝi mem dronu inter la ondoj, se ĝi ne sukcesas ĝustatempe savi sin nagante al la riverbordo.

Jam ni estis perdintaj el la vido la insuleton, sed ankoraŭ ni staris sur la ferdeko, kiam nia ŝipeto ricevis tiel fortan baton, ke ĝi terure ekskuiĝis.

---

4) <동물> (남미 산의)표범. ☞ leopardo.

Kelkaj pasaĝeroj ekŝanceliĝis, aliaj eĉ falis sur la plankon.

La ŝipo haltis, kaj fortega knarado[5] ekaŭdiĝis el ĝia interno. Konfuza kriado ekestis. La pasaĝeroj panike puŝadis unu la alian, iuj volis kuri dekstren, aliaj maldekstren, iuj supreniri la ŝtuparon, aliaj descendi. Subite iu ekkriis:

- Ni subakviĝas!

Fakte, tiuj, kiuj staris sur la ferdeko, sentis ke la akvo jam atingas iliajn piedojn. La paniko pligrandiĝis. Ĉiuflanke aŭdiĝis plorado de virinoj kaj de infanoj. Tiam aperis la ŝipestro. Lia voĉo plifortigita per laŭtparola funelo, klopodis superkrii la aliajn:

- Pasaĝeroj, pasaĝeroj! Ne puŝu unuj la aliajn. Nenia danĝero ekzistas. Ni havas savboaton, kaj unu post la alia vi estos transportitaj al la riverbordo. Trankviliĝu! Ne kriu kaj ne interpuŝiĝu!

Parte pro la vortoj de la ŝipestro, parte ĉar ni vidis kiel du ŝipanoj mallevas la savboaton, ni iom trankviliĝis. Kvar patrinoj kune kun siaj infanoj estis la unuaj transportataj al la riverbordo. Poste

---

5) knar-i [자] 삐걱거리는 소리를 내다. 삐걱거리다. 삭삭 소리를 내다. ☞ grinci, kraki, klaki. ~ilo ①따르라기. ②<비유> 수다스러운 사람. plum~i (글 쓸 때 펜촉이 종이 위에서)사각사각 소리를 내다. plum~ isto (자유로운)작가(作家).

la du ŝipanoj revenigis la boaton, kaj aliaj virinoj eksidis en ĝin. Tiam alvenis la vico de la viroj. Entute ni estis ĉirkaŭ tridek personoj sur la ŝipeto, kaj nia evakuado[6] daŭris preskaŭ tutan horon. Dum ni senpacience atendis nian vicon, la akvo sur la ferdeko fariĝis pli kaj pli profunda. Nur kiam la lasta el ni atingis la riverbordon, la ŝipestro kaj la aliaj ŝipanoj forlasis la ŝipeton.

Ni staris sur la riverbordo ĉirkaŭitaj de vera praarbaro. La arboj kaj arbustoj estis interplektitaj per lianoj[7], tiuj longaj kaj kiel ŝnuro flekseblaj pendantaj radikoj. Antaŭ ni, meze de la larĝa, flava rivero elstaris la pruo[8] de nia ŝipeto. Ni eksciis ke la kaŭzo de la ŝiprompiĝo estis subakva trunko, kiu truigis la kirason[9] de nia veturilo. Sed nun tiu sama trunko subtenis la ŝipon ne permesante al ĝi tute alfundiĝi.

Ni estis senesperaj. Ni perdis ĉiujn niajn valizojn kaj troviĝis en la nekonata ĝangalo de la plej sovaĝa parto de Brazilo. Krome nenian nutraĵon ni

---

6) evaku-i [타] ①<군사> (부대를)철수(撤收)하다, 철군(撤軍)하다. ②(사람들을)피난시키다, 소개(疏開)시키다, 살던 곳을 떠나게 하다. ~ito 철수한 군인, 피난한 사람. ~i la luprenanton 세입자를 (집에서) 내보내다.
7) lian-o <식물> (열대 아프리카産의)칡의 일종.
8) pru-o <항해> 뱃머리, 이물, 선수(船首). ☞ pobo, steveno.
9) kiras-o ①흉갑(胸甲), 가슴을 덮는 갑옷, 가슴받이. ②(군함의) 장갑판. ☞ blendaĵo. ③<동물> 등딱지, 갑각(甲殼), =karapaco. ~a 장갑(裝甲)으로 무장한. ~a ŝipo, aŭto 철갑함(鐵甲艦), 장갑차. ~i [타] 장갑으로 무장하다. ~ulo 흉갑기병(胸甲騎兵).

havis.

La ŝipestro klopodis kuraĝigi nin. Li diris, ke morgaŭ ni klopodos eltiri la valizojn el la ŝipo, kaj eble ni sukcesos eltiri eĉ la ŝipon mem kaj ŝtopi ĝian truon. Tiel eble post kelkaj tagoj ni povos daŭrigi la vojaĝon.

Ni, verdire, ne tre kredis je tiu ebleco, sed tamen ni iom trankviliŝis.

Per niaj maĉetoj ni elhakis la arbustojn kaj purigis de kreskaĵoj sufiĉe larĝan surfacon. En ĝia mezo ni ekbruligis fajron, kaj eksidis sur trunkojn ĉirkaŭ ĝi. Iuj sekigadis siajn malsekajn robojn ĉe la fajro, aliaj sin mem.

Estis malfrua posttagmezo. Por tiu vespero ni havis neniun manĝaĵon, kaj kiam ni rememoris pri tio, ni tuj eksentis malsaton.

Diversaj bruoj kaj voĉoj estis aŭdeblaj el la ĝangalo. Evidente multaj bestoj en ĝi loĝis. Inter la voĉoj ni povis klare distingi la raŭkan kriadon de iu birdo, kiu ĉirkaŭflugadis proksime de nia bivako.[10]

- Tiu ĉi birdo estas sovaĝa meleagro.[11] Mi konas ĝian voĉon, - diris unu el niaj kamaradoj.

Iu branĉo super nia kapo ekbalanciĝis kiam la belega ekzemplero de meleagro eksidis sur ĝin.

---

10) bivak-o <군사> 야영(지), 노숙(露宿). ~i 야영 · 노숙하다.
11) meleagr-o <조류> 칠면조. ☞ pavo.

Ĝia plumaro estis bruna kun kelkaj blankaj strioj.

- Se iu el ni havus pafilon, ni facile ĉasus ĝin, - diris maljuna sinjoro. - Ni havus tre bonan vespermanĝon por ni ĉiuj.

Sed neniu el ni posedis pafilon. Nun ni eĉ pli malgaje sidis ĉirkaŭ la fajro.

Subite io siblis[12] tra la aero. Akra kriego aŭdiĝis, kaj la meleagro brue falis en la fajron meze de ni. Kelkaj kunuloj ektimigite falis de siaj sidlokoj, aliaj laŭte ekkriis. Ni ĉiuj estis konsternitaj pro la surpriza okazaĵo, kaj ni ne sciis kion pensi.

Ankoraŭ nia konsterniĝo ne ĉesis, kiam subite ni ekaŭdis laŭtan kaj klaran ridegon. Ĉiuj rigardoj sin direktis supren, en la direkton el kiu la ridego venis. Tiam ni ekvidis indianan knabon malsuprenirantan de branĉo. En la mano li havis sagon kaj arkon.

- Mi estas Kumeŭaŭa el la tribo Karaĵa. Amikoj nomi 'Ŭaŭa'. Meleagro bona por manĝi. Mi rosti ĝin. Kumeŭaŭa fiŝkaptis malproksime. Volis trinki akvon, sentis akvo esti sala. Tuj scii ŝipo subakviĝi ie kaj salo dissolviĝis. Tiam Ŭaŭa rapidi, ĉar scii

---

12) sibl-i [자] ①"스(S)— "소리를 길게 내다. (바람이)윙 소리를 내다. (화살이)휘익 하고 소리 내다. la serpento ~as 뱀이 쉬— 하고 소리 내다; ~antaj sagoj 휘익 하고 날아가는 화살. ②이빨 사이로 쉬 소리를 내다. 치찰음(齒擦音)을 내다. ~a 쉬 소리를 내는. ~a litero 쉬 소리를 내는 글자. ~o. ~ado 쉬— 쉬— 하는 소리.

homoj en danĝero.

- Ĉu nur pro la sala akvo vi supozis, ke homoj troviĝas en danĝero? - mi demandis lin.

- Maljuna indiano Maloa diri: "Kie esti abeloj, ankaŭ mielo troviĝi."

- Sed via tribo ne ŝatas la blankulojn, kial vi venis do?

- Maljuna Maloa diri: "Kiu helpis al homo en malfacilaĵo, helpis al si mem."

- Bone, sed kiel vi povas helpi al ni? Vi ja estas ne pli ol dekjara knabeto.

- Dekdu jarojn mi havi! Kaj Maloa diri: "Fiŝojn oni mezuri laŭ longo, homojn laŭ ilia scio."

Dum ĉion ĉi diradis la eta Kumeŭaŭa, li detranĉis du 'Y'-formajn branĉojn, starigis ilin ambaŭflanke de la fajro, kaj sur ili komencis rosti la meleagron, kiun li antaŭe rapide purigis de plumoj kaj intestoj[13], kaj fiksis sur rektan bastonon.

---

13) intest-o <해부> 장(腸), 창자. dika ~o 대장; maldika ~o 소장. ~a 장(腸)의. ~a inflamo 장염(腸炎). ~aro 내장(內臟). ~bruo 배속의 꼬르륵거리는 소리.

2. FIŜKAPTADO KUN KUMEŬAŬA

Mi ne scias kial li ĝuste min elektis por akompani lin, sed matene, antaŭ la sunleviĝo, la indiana knabo vekis min:

- Njikuĉap voli iri kun Kumeŭaŭa fiŝkapti?

La vorto 'Njikuĉap' signifas 'barbulo' en unu el la indianaj lingvoj, kaj tiel la indianoj kutime nomis min, pro la granda barbo, kiun mi portis en tiu tempo.

Kompreneble, mi volonte akceptis la inviton. La knabo estis al mi simpatia ekde la unua momento. Li jam estis pretiginta sian pirogon,[14] en kies fundo jam kuŝis lia ilaro por fiŝkaptado. Tiu ĉi konsistis el arko kun pluraj sagoj kaj harpuno[15] el longa bastono kun forta fera pinto, ligita al la pruo de la pirogo per longa ŝnuro. Tiun ĉi armilon oni uzas por kapti grandajn fiŝojn.

La indianeto sidiĝis sur la poŭpon[16] de la pirogo, de kie li per malgranda padelo[17] lerte

---

14) pirog-o 마상이, 카누우.
15) harpun-o (큰 물고기를 잡는)작살.　　~i 작살로 찍다(잡다).
16) poŭp-o (배의)　　고물, 선미(船尾), =pobo. ~lampo 미등(尾燈).
　　sur~o (배의)맨 위의 뒷갑판.
17) padel-o ①(스크루·터빈 따위의)날개. ☞ trogo. ②노(櫓)의 깃. ③프

- 14 -

direktadis la mallarĝan, ŝanceliĝantan boaton konstruitan el unusola trunko. La frumatena aero sentigis freŝecon agrablan en tiu tropika regiono de Amazonio. Ambaŭflanke de la rivero Aragvajo leviĝis, kvazaŭ du malhelaj muregoj la ĝangalo kun siaj arboj kaj arbustoj, kaj dense interplektita nedifinebla vegetaĵaro. Ni navigis apud la maldekstra riverbordo, kaj tute klare ni povis aŭdi la kriojn de multaj bestoj.

- Tiu ĉi, kiu tiel laŭte krii, nomata la hurlanta simio, - diris Kumeŭaŭa. - Ni tuj alproksimiĝi al ĝi.

Li mansignis al mi ke mi ekpadelu, kaj li mem per sia padelo tute senbrue direktis la pirogon al granda arbo sur la bordo, kun granda branĉaro klinita super la akvo. Tie li apogis la boaton sur la bordon.

- Ĉu vi vidi ĝin?... Tie ĝi sidi.

Ie, sur unu el la plej altaj branĉoj, mi ekvidis hurlantan simion. Ĝi seniluziigis min. Laŭ la potenca hurlado mi imagis ĝin granda kiel leono, sed fakte ĝi havis la grandecon de mezgranda hundo. Kiam ĝi volas aŭdigi sian potencan hurlan voĉon, ĝi plenigas per aero grandan vezikon,[18]

___

로펠러의 날개판. ~i [자] 물·진창 속에서 절벅거리다, 절벅거리며 움직이다. ~ŝipo 수중익선(水中翼船). ~rado (기선의)외륜차(外輪車).
18) vezik-o ①<해부> 방광, 낭(囊), 포(胞), 수포, 물집. ~o, urina ~o

kiu troviĝas sur ĝia kolo. Kiam ĝi denove eligas la aeron, ekestas la timiga sono, kiu certe multajn bestojn sukcesas fortimigi.

Dum ni sidis sub tiu arbo, rigardante la simion, alflugis du tukanoj.[19] Strangaj birdoj ili estas. Ilia plumaro estas nigra, kun flava kolringo, kaj ilia beko estas flava kaj grandega, tiel larĝa kaj longa, kiel ilia korpo mem. Pro tio, kiam ili flugas, oni havas la impreson, kvazaŭ la beko tirus malantaŭ si la birdon. Tamen, tiu granda beko ne malhelpas la tukanon en la flugado, ĉar ĝi estas malplena, do tre malpeza.

La knabo ekmontris al iu arbusto. Komence mi nenion povis vidi en tiu direkto. Fine tamen mi rimarkis, ke la branĉo estas plenplena de birdetoj. Ili estis ege malgrandaj, kelkaj ne pli grandaj ol abeloj. Ili estis kolibroj.[20] Abundis sur ili la koloroj. Unu havis longegan kaj maldikan bekon. La vosto de alia konsistis el du longaj interkruciĝantaj plumoj. Tria havis ruĝan kvaston[21] sur la eta verda kapo. Ĉiuj tiuj etaj estajoj

---

방광. ②작은 공기 방울. =aer～eto. ～kovrita marĉo 작은 공기방울로 뒤덮인 늪: sapa ～o 비누 방울. ～e 공기 방울처럼. ～eto 작은 낭(포). 방울. (의학)포진(疱疹). ～iga <군사> 수포성(水泡性)의. ～iga gaso 수포성 가스. ～iĝi 공기 방울이 생기다. aer～eto 작은 공기 방울. =bobelo. naĝ～o (물고기의)부레. sap ～o 비누방울.
19) tukan-o <조류> (열대 아메리카산)거취조(巨嘴鳥).
20) kolibr-o <조류> 벌새. =muŝbirdo.
21) kvast-o 커튼 끈 따위의)술장식.

movadis siajn flugilojn tiel rapide, ke tiuj fariĝis preskaŭ nevideblaj. Dank'al tio ili povis libere ŝvebi en la aero samloke, dum ili interparoladis trankvile kun la najbarino de la alia branĉo, aŭ pripensadis sur kiun branĉon eksidi.

Ili estas veraj naturaj helikopteroj. Tiom multe da kolibroj troviĝis sur la arbusto, kvazaŭ ĝuste tie estus okazanta ĝenerala kunveno de kolibroj. Kaj ilia pepado[22] estis vigla kaj gaja, kaj mi ne povis kompreni, kiel ili komprenas unu la alian, se ĉiuj pepas samtempe.

Subite ili eksilentis. Ankaŭ aliaj bestoj eksilentis. En la tuta arbaro nenio estis aŭdebla. Nur du simioj sur branĉo mallaŭte kaj nerveme flustris ion.

- Ni rapidi for de tiu ĉi loko. La bestoj anonci iun danĝeron! - diris mia kunvojaĝanto.

Per la padeloj ni forpuŝis la pirogon de la riverbordo kaj haltis meze de la akvo, scivolemaj pri tio, kio okazos.

Post nelonga atendado la densa verdo de la praarbaro malfermiĝis, kaj inter la foliaro aperis granda, fortika jaguaro. La sovaĝbesto marŝadis malrapide kaj majeste. Nun ni komprenis, kiu

---

22) pep-i ①[자] (새가)짹짹거리다. 지저귀다. ☞ trili, ĉirpi, rukuli, kluki, babili, kviviti. ②[타] 새소리를 내다. ~o, ~ado (새의)지저귐. 재잘거림. plor~i [자] 신음하다. 신음소리를 내며 말하다. =ĝemi.

estas la danĝero antaŭ kiu ĉiuj aliaj bestoj sin kaŝis.

- La jaguaro, reĝo de la ĝangalo, - prezentis al mi ĝin Kumeŭaŭa flustre.

La besto malrapide descendis al la riverbordo kaj klinis la kapon por trinki akvon. Observante ĝin, ni retenis la spiron pro emocio. Kaj ŝajnis ke ĉiuj bestoj de la ĝangalo faris la samon, ĉar nenia sono estis aŭdebla en la proksimeco.

Nur kiam la jaguaro denove malaperis en la densejo, la arbaro ree ekvigliĝis. Ni ekpadelis tiam en la direkton de la fluo de la rivero.

Post iom da tempo ni ekaŭdis mallaŭtan zumadon en la malproksimo, kiu fariĝis iom post iom pli laŭta, kaj fine transformiĝis en bruegon de kiu nia haŭto krispiĝis.[23] Per rigardo mi demandis la knabon, kio ĝi estas. Li diris:

- Kaskadeto.[24] Danĝera por tiuj, kiuj ne koni la riveron.

Ŝtonoj elstaris el la akvo kaj la fluo fariĝis

23) krisp-o ①<복식> (16세기의)둥근 주름동정. ☞ ĵaboto, ruŝo, krepo. ②<해부> 장간막(腸間膜). =mezentero. ~a ①주름진, (머리가)곱슬곱슬한. ②<식물> 표면이 불규칙하게 주름진. ~aj folioj 표면이 불규칙하게 울퉁불퉁한 잎들. ~igi 주름지게 하다. 곱슬곱슬하게 하다. ~iĝi 주름지다. 곱슬곱슬하게 되다. 물결치다. 출렁거리다. ~iĝo 주름. 잔물결, 파상
24) kaskad-o ①(자연·인공의)폭포(瀑布). ②<비유> (어떤 일이)폭포처럼 밀려오기, 연속적으로 잇달아 일어나는 일. ~o da demandoj, da ridoj 폭포처럼 밀려오는(쏟아지는) 질문, 웃음. ~ego 큰 폭포. ~eto 작은 폭포(주로 인공폭포).

rapidega. Ni eniris en la kaskadeton. La fluo portis nian pirogon jen dekstren jen maldekstren, kun grandega rapideco.

— Nun ne remi, Njikuĉap! — kriis la knabo.

Mi ĉesis remi kaj atendis kun streĉitaj nervoj, ke nia pirogo koliziu[25] kontraŭ ŝtonego kaj disfalu en pecetojn. Sed la indianeto manovris[26] per sia padelo tiel lerte, ke li sukcesis enkonduki la pirogon en la plej trankvilan parton de la fluego. Nia rapideco pligrandiĝis tuj poste. En certa momento ŝajnis al mi, ke ni flugas rekte kontraŭ rokon.

- Nun remi! Remi per tuta forto, Njikuĉap! - estis la ordono, kiu apenaŭ atingis mian orelon tra la infera bruego.

Mia padelo frapegis la akvon kvazaŭ maŝino. Kumeŭaŭa per siaj fortaj kaj rapidaj movoj elvokis mian admiron. Je nur du metroj antaŭ la roko, eble unu sekundon antaŭ la kolizio, mia kunulo

---

25) kolizi-i [자] ①충돌(衝突)하다. 부딪치다. ☞ karamboli. ②<비유> (환경·감정·이해관계·의견 따위가)반대되다. 불일치하다, 상충하다, 부딪치다, 대립하다, (법에)저촉되다. ~o ①충돌. ②알력, 불화, 대립, 싸움, (법의)저촉(抵觸).

26) manovr-i [자] ①<군사> 기동(機動) 연습하다. ②(부대·함대·비행대 따위를)작전수행을 하기에 좋은 곳으로 배치하다, 목표로 향해 방향을 돌리다. ③<비유> 책동하다, 술책을 쓰다, 수완을 부리다. ~o ①군사 기동 훈련. ②(군함 따위의)목표로 향한 방향 전환. ③<비유> 술책, 책략, 수완. politikaj ~oj 정치적인 술책. ~anto 수완가, 술책이 능란한 사업가(정치가). ~olerta (군대가)기동에 능숙한, (지휘관이)군대운용에 숙달한. (선원이)숙련된. ~uniformo 전투복, 훈련복. mis~o 잘못된 기동훈련(부대배치).

enpuŝis sian remilon oblikve[27] en la akvon kun tia firmeco, ke la pirogo subite devojiĝis maldekstren, preterflugante je duonmetro la ŝtonegon. Ni tutcerte kolizius kontraŭ ĝi, se la filo de la ĝangalo ne agus tiel lerte kaj decide.

Post kelkaj pluaj manovroj ni sukcese transiris la tutan kaskadon, kaj eniris en pli trankvilajn akvojn. La fortostreĉo ege lacigis nin. Kumeŭaŭa ekkuŝis sur la poŭpon de la boato, kaj mi sur la pruon, vidalvide de li. Kun feliĉa rideto sur la lipoj ripozis la knabo, observante la blankajn, kotonecajn[28] nubetojn sur la trankvila ĉielo, dum la pirogo senbrue drivis pluen.

- Sen via lerteco ni povus perei sur tiu ĉi loko,
- mi diris.

"La akvon kaj la sovaĝbeston vi devi mastri,[29] se

---

27) oblikv-a ①비스듬한, 기울어진, 경사진. ②(정상적인 방향에서)벗어난, 경사진. ~a vojo (옳은 방향에서)벗어난 길. ☞ malrekta, traŝultra, transversa. ~i [자] 사행(斜行)하다, 옆길로 가다, 비스듬하게 가다, 기울어지다, 경사지다, 기울다. ~eco 경사(傾斜). ~e 비스듬하게.

28) 솜 ① (옷·이불 따위에 넣는-)vato. ~을 넣다 vati. 붕대에 ~을 넣다 vati bandaĝon. ~을 넣은 vatita. ②<식물>kotono. ~같은 kotoneca. ~같은 열매 kotoneca frukto. ~으로 짠 kotona. ~털이 많은 kotoneca. ~모양으로 침전하다 flokiĝi. ~을 넣다 (이불 따위에-) ŝtofi.

29) mastr-o ①(집·토지 따위의)주인(主人), 소유주, 가장(家長). ☞ sinjoro. ②(호텔·여관·술집 따위의)주인. ③(사무실·직장·공장 따위의)고용주, 사업주, 공장주, 장(長). interkonsento inter ~o kaj laboristoj 노사간의 합의. ④명령권 있는 소유주, 임자. trezoro sen ~o 임자 없는 보물. ☞ proprietulo. ⑤<식물> 숙주(宿主) 식물. ☞ nutroplanto. ~e 주인으로서, 고용주·소유자로서. ~i [타] 주인 노릇 하다, 주인으로서 지배하다·지휘하다, (학문 따위를)통달하다, 마스터하

- 20 -

vi ne voli ke ili mastri vin" diri maljuna Maloa. Ekzisti ankaŭ alia, pli facila transiro, sed tiu ĉi pli ekscitiga.

La pirogo malrapide progresadis. La knabo sin levis:

- Ĉi tie la akvo profunda. Ni fiŝkapti.

Laŭ lia deziro mi eksidis sur la poŭpon kaj remis malrapide, laŭ liaj mansignoj, jen dekstren jen maldekstren. Li ekstaris sur la pruon, kun sago kaj arko en la manoj. Li staris rekte, kvazaŭ bronza statuo, kaj la bruna koloro de lia preskaŭ tute nuda korpo mirinde bele harmoniis kun la milda bluo de la matena ĉielo. Lia glata nigra hararo pendis ĝis la ŝultroj. Lia nazo estis trapenetrita per eta bastono, kaj liaj vangoj estis ornamitaj per po unu tatuita[30] nigra ringo. Tiu ĉi estis la signo de la tribo Karaĵa al kiu li apartenis. Ĉirkaŭ la kapo estis streĉita mallarĝa verda rubando, el kiu malantaŭe elstaris granda agla plumo. Lia sola vestaĵo konsistis el du kvadrataj tuketoj, el kiuj unu pendis antaŭe alia malantaŭe, ligitaj per ŝnuro ĉirkaŭ la talio.

Li staris trankvile per la rigardo penetrante

다. ~aĵo 집안일, 가사(家事). ~eco 주인의 역할 · 권리.
30) tatu-i [타] (몸에)문신을 넣다. 먹실을 넣다. ~i ies bruston, brakon 누구의 가슴에, 팔에 문신을 넣다. ~o, ~ado 문신(먹실) 넣기. ~aĵo 문신으로 그린 것(글자 · 그림 따위).

profunden en la malhelan akvon.

Subite Kumeŭaŭa elpafis la sagon, kiu malaperis en la akvo. Senspire ni atendis ĝian reaperon. Kiam la plumoj de la sago elmergiĝis[31] el la akvo, la knabo atingis ĝin per sia arko kaj altiris ĝin. Sur la alia fino de la sago baraktis senespera duonmetron longa fiŝo. Ni deprenis ĝin de la sago kaj lokigis ĝin sur la fundo de la boato.

Ni daŭrigis la navigadon, kaj dum la proksima duonhoro mia kamarado kaptis pliajn kvin fiŝojn, el kiuj du estis eĉ pli grandaj ol la unua. En iu momento li ekscitite signis al mi, ke mi direktu la pirogon maldekstren. Samtempe li demetis la sagon kaj arkon, kaj ekprenis la harpunon. Li kontrolis ĝian feran pinton kaj la bastonon. Li trarigardis ankaŭ la longan ŝnuron, per kiu ĝi estis ligita al la pruo de la pirogo. Mi konjektis ke li estas malkovrinta iun tre grandan fiŝon. Li ekkaŭris por vidi de pli proksime la profundaĵon. Tiel li restis senmova, kun streĉita atento, dum certa tempo. Poste li donis al mi signon ke mi direktu la pirogon dekstren. Tiam subite li etendis sian maldekstran brakon, kiel faras la lancĵetuloj,

---

31) merg-i [타] (물에)잠그다, 가라앉게 하다. ~iĝi (물에)빠지다, 가라앉다, 잠기다. mal~i [타] 물속에서 건지다. mal~iĝi (물 위에)떠오르다. ~anaso 검둥오리. ~okloŝo (鐘 모양의)잠수정(해저의 노동을 가능하게 하는). (벗어남)eliri, elmergiĝi.

samtempe li forte svingis la harpunon kaj ĵetis ĝin en la akvon.

Dum kelkaj sekundoj ni ne sciis, ĉu li trafis sian celon aŭ ne. Tiuj kelkaj sekundoj ŝajnis al ni eternaj. Fine la harpuno, kies finaĵo elstaris el la akvo, komencis malproksimiĝi de la pirogo, deruligante la ŝnuron per kiu ĝi estis ligita al la boato. Kiam la tuta ŝnuro estis en la akvo, ĝi streĉiĝis kaj nia pirogo ekveturis tirata de iu nevidebla subakva forto. Devis esti grandega tiu fiŝo kiu, furioziĝinta pro la ricevita vundo, trenis post si nian pirogon dekstren kaj maldekstren, kvazaŭ iun ludilon. Kumeŭaŭa ekkuŝis sur la pruon, por ke subita movo ne ĵetu lin en la akvon.

Post dekminuta freneza veturado, nia moviĝado fariĝis malpli rapida, kaj fine ni ekhaltis. Nun ni komencis altiri la ŝnuron, poste la harpunon, kaj fine kun granda peno la fiŝon. Ĝi estis preskaŭ du metrojn longa fiŝego 'piraruku', unu el la plej bongustaj loĝantoj de la amazoniaj riveroj.

Kiam la fiŝego jam kuŝis en la boato, kaj ni eksidis por ripozi iomete post la streĉa laboro, mi esprimis mian admiron al la eta indiano. Ne donante gravecon al la afero, li respondis.

- Ĉiuj bestoj scii trovi al si nutraĵon. Ankaŭ

homo devi scii.

- Jes, - mi diris - sed vi ankoraŭ ne estas viro, vi estas nur knabo!

- Ne! Rigardu tiujn ĉi du nigrajn ringojn tatuitajn en miajn vangojn. Ili signifas, ke mi estas plenaĝa viro.

- Mi ne komprenas. Rakontu al mi pri tio, Kum eŭaŭa.

- Nun ni ne havas tempon por tio. Parolante ni forpelos la fiŝojn. Viaj amikoj atendi nin kun la stomakoj malplenaj.

- Sed diru almenaŭ kelkajn vortojn pri la tatuitaj ringoj, mi estas scivolema.

- Maloa diri: "La veron vi ekscii nur se vi povas kaŝi vian scivolemon."

Mi eksilentis, kaj klopodis ŝajnigi min indiferenta, kvankam mi plej volonte en tiu momento eksplodus kiel bombo.

3. SURPRIZO EN LA AKVO

Dum ni sidis ripozante en nia pirogo, alvenis al mi la ideo, ke estus bone ke ankaŭ mi provu la sorton koncerne la fiŝkaptadon. Tuj mi diris al Kumeŭaŭa, ke li sidiĝu sur la poŭpon por direkti la pirogon, kaj mi ekstaris sur la pruon. Kompreneble, mi deziris kapti iun grandan fiŝon, kaj pro tio mi prenis en la manon la harpunon.

Komence estis al mi malfacile konservi la ekvilibron starante sur la pruo de la balanciĝanta boato, kaj en du aŭ tri okazoj mi preskaŭ falis en la akvon. Fine tamen mi alkutimiĝis al la nestabila situacio sufiĉe por kuraĝi lanĉi la harpunon. Tiam mi komencis serĉi mian viktimon sub la akvo. Ĉiu ombro, ĉiu subakva trunko aŭ roko ŝajnis fiŝego al miaj nelertaj okuloj. La ondaj movoj de la akvo kaj la distordiĝo de la radioj sub la akvo petole ludadis kun mia imago.

Post longa tempo mi subite ekvidis ion, pri kio mi ĵurus, ke ĝi estas fiŝo. Jes, nun mi estas tute certa. Sed ĝi volas eskapi maldekstren. Mi ekscitite signas al la knabo, ke li direktu la pirogon tiuflanken. Nun ŝajnas, ke ni tuj atingos ĝin. Jen ĝi estas, preskaŭ sub ni! Mi etendas la dekstran brakon kun la harpuno, streĉas ĉiujn muskolojn de mia korpo, kaj per mia tuta forto enĵetas la armilon en la akvon. Sammomente mi kaptas la ŝnuron per kiu la harpuno estas ligita, por ke ĝi ne eskapu.

Klare mi vidis kiam la pinto de la harpuno penetris en la fiŝegon kiu, laŭ mia opinio estis du metrojn longa. Sed en la sama momento kiam tio okazis, mi sentis elektran ŝokon tiom fortan, ke mi falis en la fundon de la pirogo, kvazaŭ mi estus ricevinta bategon sur la kapon. Dum mi ankoraŭ tremis pro la ŝoko kaj la emocio, mia kunulo laŭte ekridegis, kun la manoj sur la ventro.

- Ĉu Njikuĉap ne scii, kio esti elektra angilo? Kumeŭaŭa tuj vidi, sed ne voli diri. Plej bone lerni per propra sperto. Tion neniam plu forgesi.

- Malica knabo vi estas, Kumeŭaŭa. Vi povis esti avertinta min.

Tuj li ekprenis la ŝnuron kaj komencis tiri ĝin. Iom post iom aperis sur la surfaco de la akvo la harpuno, kaj sur ĝia pinto la longa kaj mallarĝa korpo de la angilo. Fakte ĝi estis du metrojn longa.

Kiam mi vidis la scenon, mi demandis:

- Diru, Ŭaŭa, kiel vin ne ŝokas la kurento kiu al mi donis tian fortan baton, kiam ankaŭ vi tenas la saman malsekan ŝnuron, kiun mi tenis?

- Jes, sed la kompatinda fiŝo elspezis sian tutan elektron por Njikuĉap, kaj nenio restis por Kumeŭaŭa! - diris ridante la knabo.

Ni ambaŭ pene sukcesis entiri la fiŝegon en la pirogon, ĉar ĝi luktis,[32] klopodante savi sin el niaj manoj, aŭ almenaŭ renversi la pirogon. Fine, tie ĝi kuŝis antaŭ ni. Mi estis vere fiera pro tiu mia kaptaĵo, kaj mi estis eĉ preta forgesi la hontigan falon kiun mi estis suferinta pro ĝi. Al ĉiuj miaj amikoj mi rakontos, kiel grandan fiŝon mi kaptis.

Dum pri tio mi pensis, mi klopodis eltiri la feran pinton de la harpuno el la sanganta vundo de la fiŝo, tiel ke mi laŭeble ne multe turmentu ĝin. Fine mi tion sukcesis fari. Sed en la sama momento la besto kurbiĝis, skurĝis min per sia vosto kvazaŭ per vipo, kaj saltis trans la malaltan randon de la pirogo. Mi rapide klinis min super la akvon kaj etendis la manon por denove kapti la angilon. Sed la eta indiano per unu salto

---

32) lukt-i [자] ①씨름하다. 레슬링하다. 싸우다. 멱살잡이 하다. ☞ barakti. ②<비유> (장애·역경 등을 극복하기 위해)노력하다. 힘쓰다. 분투하다. ~o ①씨름. 레슬링. 맨몸 싸움. ☞ ĵudo, bokso, pankraco. ②<비유> …을 위한 분투, 노력, 힘씀. ~ejo 씨름·레슬링 경기장. 링. ~isto 씨름선수, 레슬러.

alproksimiĝis al mi, kaj per subita movo retenis mian manon.

— Piranjoj[33] tuj venas. Danĝere enmeti manon en akvon!

Fakte, nur malmultaj sekundoj pasis, kiam dekoj da piranjoj aperis, kaj ilia nombro rapide kreskis al centoj. Jam mi estis aŭdinta pri ili, sed nun mi bone povis ilin observi. La piranjoj estas fiŝoj nur iom pli grandaj ol la manplato de homo. Ilia buŝo estas malgranda, sed en ĝi troviĝas du vicoj da triangulaj kaj tre akraj dentoj kiuj, kvazaŭ du segiloj perfekte koincidas unu kun la alia. La piranjo tuj sentas la proksimecon de sango, ĉu pro la odoro, ĉu pro la koloro. Ĝi alnaĝas rapide kiel sago por preni nur unu buŝplenon de la viktimo, ĉu besto aŭ homo.

Kaj tiel nun alkuris centoj da piranjoj por elmordi nur po peceton de mia fiŝo, kaj ili faris tion tiel rapide, kvazaŭ ili vetludus por iu premio. Kelkaj el ili en la vervo[34] elsaltis el la akvo por sursalti sur la viktimon. Pro la svarmanta amaso da fiŝoj la akvo ŝajnis esti bolanta. Sed tiu ĉi terura sceno ne daŭris pli ol unu minuton. Tiam

---

33) piranj-o <어류> 삐라냐(남미 산 물고기로 날카로운 이빨로 먹이를 잡음. 사람도 잡아먹음).

34) verv-o (시인 · 변사 · 배우 따위의)정열, 활기,　생동, 힘, 기백, 시흥(詩興). ~a 생동하는, 생기발랄한, 정열적인, 힘찬. ~a parolado 정열적인 연설. sen~a 맥 빠진, 힘없는. sen~a romano 맥 빠진 소설.

la akvo denove trankviliĝis. Sur ĝia surfaco flosis nur la longa skeleto de la fiŝo, tute blanke purigita de ĉiu viando.

- Dankon, Ŭaŭa, ke vi tiel lerte malhelpis al mi enmeti la manon en la akvon. Mi ne ŝatus sperti similan atakon de piranjoj sur mia brako.

- La maljuna indiano Maloa diras: "En la akvo gardu vin de la piranjoj, kaj de flatemulo sur akvo kaj sur tero!"

Ankoraŭ dum longa tempo mi pensis pri tio, kiel multaj danĝeroj ekzistas en la praarbaro. Kaj kiel sur ĉiu paŝo povas perei homo kiu ne konas ilin, dum la indiĝenoj[35] ekde infanaĝo alkutimiĝas defendi sin kontraŭ ili.

- Ni reiri, - diris subite la knabo. - La suno jam alta, kaj viaj amikoj devas esti jam malsataj.

Ni ekpadelis kontraŭ la fluo de la akvo, kaj progresis sufiĉe pene. Ni devis konstante padeli ĉar, se ni nur unu minuton restus trankvilaj, la fluo reportus nin tiom, kiom ni antaŭe progresis dum dek minutoj.

Tiel ni baldaŭ alvenis al la kaskadeto, tra kiu la juna indiano nin tiel lerte gvidis. Nun mi scivolis, kiel li faros tion kontraŭ la fluo.

Jam ni klare aŭdis la bruegon de la ondoj kiuj

---

35) indiĝen-o 원주민(原住民). 토착민. ☞ aŭtoktono. ~a 토착의, 토산(土産)의.

rompiĝadis kontraŭ la rokoj. La remado fariĝis eĉ pli malfacila ol antaŭe. Subite mia kamarado diris:

- Ni devi elŝipiĝi. Treni la pirogon tra la kaskado.

Tiel ni faris. Ni ekmarŝis laŭ la riverbordo, trenante la pirogon per ŝnurego. Malrapide ni progresadis. En certa loko la plata, sabla riverbordo mallarĝiĝis kaj malaperis. La akvo estis limigita per densa kreskaĵaro. Ni devis eniri la akvon. Nun la knabo iris antaŭe trenante post si la pirogon, dum mi de malantaŭe puŝadis ĝin.

Mi rimarkis ke la indiano tiras nur per unu mano. Per la alia li tenas sian maĉeton kaj per ĝi konstante ion serĉas sur la fundo de la rivero. Mi ne sciis ĉu li tie perdis ion, aŭ eble temis pri iu superstiĉo.[36] Mi decidis demandi lin pri tio, tuj kiam ni eliros el tiu infera bruego.

Jam ni estis proksime al la fino de la kaskado, kiam Kumeŭaŭa levis super la kapon la maĉeton, por montri ion, kion li per ĝi kaptis. Sur la maĉeto troviĝis trapikita stranga fiŝo, pri kiu mi poste eksciis, ke ĝi nomiĝas rajo.[37] Ĝi estas plata, granda kiel telero, rozkolora, preskaŭ travidebla. Malantaŭe ĝi havas longan kaj maldikan voston

---

36) superstiĉ-o 미신(迷信). ~a 미신의, 미신을 섬기는. ~a kamparano 미신을 섬기는 시골사람.
37) raj-o <어류> 가오리. ☞ ŝarko.

provizitan per malmola osta pinto. Kvankam la fiŝo mem estis senmova, ĝia vosto kurbiĝadis kaj svingadis tra la aero, senespere serĉante sian kaptinton por lin piki.

Kiam ni jam estis iom for de la kaskado, tiel ke ni povis interparoli sen la bruego de la akvo, la knabo klarigis al mi kelkajn aferojn pri la vivo de tiu stranga fiŝo.

Ĝi vivas en la malprofundaj partoj de la rivero, kie ĝi sin kaŝas sub la sablo aŭ la koto. Tiel ĝi kuŝas trankvile, aŭ malrapide naĝas serĉante al si nutraĵon.

Se io aŭ iu ĝin atakas aŭ surpaŝas, ĝi rapidege kurbigas la voston kaj per sia osta pinto pikas tiun kiu ĝin atakis aŭ eble surtretis. Tra la vostpinto ĝi ellasas venenon, kiu eĉ al homo kaŭzas fortan doloron, kvankam tio ne estas mortiga.

Mi eksciis ankaŭ ke en la maroj vivas rajoj tiel grandaj ke ili povas envolvi per sia korpo homon, kvazaŭ per littuko, sed iliaj pikoj ne estas venenaj.

Kiam mi vidis la fiŝon mi komprenis kial Ŭaŭa ĉiam ion serĉadis per la maĉeto en la akvo. Sen tio li verŝajne surtretus la rajon kaj ricevus ĝian dolorigan pikon.

Ankoraŭ du horojn ni remis. Fine ni ekvidis nian

ŝipeton, kiu ankoraŭ elstaris el la akvo, kiel frumatene kiam ni forlasis ĝin.

La suno estis precize super niaj kapoj. Estis tagmezo. Niaj kamaradoj el la subakviĝinta ŝipo kun ĝojkrioj akceptis nin. Ili estis jam tre malsataj.

4. ĈIRKAŬ LA BIVAKA FAJRO

Kiam niaj amikoj ekvidis la amason da fiŝoj, grandaj kaj malgrandaj, en nia pirogo, ili aplaŭdis al la malgranda indiano, por esprimi tiel sian ĝojon kaj ankaŭ sian rekonon al la junulo. Evidente ili estis jam tre malsataj, kiel Kumeŭaŭa antaŭvidis.

Ni tuj aliris al la fajro, purigis la fiŝojn kaj surpikis ilin sur pintigitajn bastonojn, kiujn la knabo rapide pretigis. Nun mi povis nombri la fiŝojn: ili estis ekzakte dek-ses. Kelkaj el ili pezis eĉ kvin kilogramojn.

Ni ĉiuj eksidis ĉirkaŭ la fajro, kaj regalis nin per la alloga odoro de la rostiĝantaj fiŝoj. Nenian aperitivon[38] ni bezonis tiun tagon, nek pilolojn[39] por ekhavi apetiton.

Niaj kamaradoj rakontis al ni, ke ili elpensis manieron por altiri la ŝipeton pli proksimen al la bordo kaj ripari ĝin. Sed ili estis senesperaj pro la manko de sufiĉe longa ŝnurego por eltiri la

---

38) aperitiv-o 애피타이저, 전채
39) pilol-o <약학> 환약(丸藥). 정제약(錠劑藥). ☞ granolo. suker~o 당의정(糖衣錠).

ŝipeton. Mankis proksimume dek metrojn longa ŝnurego. Se tion ili havus, ili povus ligi la ŝnuregon al la pruo de la ŝipeto, pasigi ĝin super fortika branĉo de arbego sur la riverbordo, kaj ĉiuj tirante kune alproksimigus al la riverbordo la ŝipon. Tie, en malprofunda akvo ili flikus[40] la truon kaj la ŝipeto povus daŭrigi la navigadon.

- Ni havi ŝnuregon. Ni fari ĝin post tagmanĝo, - diris la knabo.

- Kiel?... El kio ni faros ŝnuregon?... tio estas neebla, - respondis kelkaj.

- Post la manĝo ni ĉiuj kune faros ĝin, - ripetis Kumeŭaŭa.

Kaj kiam ankoraŭ kelkaj esprimis sian dubon, li aldonis:

- Praarbaro havi ĉion, kion homo bezonas. Nur necesas trovi kaj rekoni ĉion.

Bongustega estis la fiŝa tagmanĝo, kaj tiel abunda, ke nur la duonon ni sukcesis formanĝi. La alian duonon ni enpakis en foliojn por konservi ĝis la vespermanĝo.

Tiam la ŝipestro diris:

---

40) flik-i [타] ①(헝겊·가죽 따위를 대고)깁다. ②<비유> 할 수 있는 대로 수리(수선)하다. 미봉(彌縫)하다. ~aĵo 기운 데 대는 헝겊조각. ~ilo 깁는 바늘. ~ilaro (수리하기 위한)공구(工具). ~istino 삯바느질하는 여자. ~itaĵo (옷 따위의)기운 곳. ~umi 짜깁기하다. ~umi ŝtrumpojn 스타킹을 짜깁기하다. ☞ teksoŝtopi. faden~i → ~umi. farbo~i (자동차 따위의 긁힌 부분을)페인트를 칠하여 수리하다. ŝu~isto 구두 수선공.

– Estas tre bele de tiu ĉi knabo, ke li nutras nin, sed tutcerte li deziras por tio esti pagita... Diru knabeto, kiom vi postulas por tiuj fiŝoj?

– Homoj en malfacilaĵo, – diris la knabo Kumeŭaŭa volonte helpi. Monon mi ne bezoni. Arbaro havi ĉion, kion indiano deziras.

Tiu ĉi simpla kaj decida respondo elvokis nian admiron al la knabo. Sed iu aĝa sinjoro diris:

– Mi proponas, ke ni tamen ne restu ŝuldantoj de nia malgranda helpanto, sed ĉiu metu iom da mono laŭ sia bontrovo en tiun ĉi saketon, kaj antaŭ la disiĝo ni transdonos ĝin al la indianeto.

Ni ĉiuj akceptis la proponon, kaj la sama sinjoro tuj komencis kunigi la libervolajn pagojn en saketon.

Post la tagmanĝo ankoraŭ iomete ni sidis kaj interparolis. Subite la ŝipestro diris:

– Indiana knabeto, vi diris ke vi povas al ni havigi ŝnuregon. Nun montru kie ĝi estas.

– Ŝnurego ankoraŭ en la arbaro. Sed mi montri al vi kie. Venu kun mi.

Kumeŭaŭa leviĝis kaj ekiris tra la ĝangalo. Tuta procesio de scivolemuloj akompanis lin, kun la ŝipestro antaŭe.

Je apenaŭ kvindeko da metroj de la fajro li haltis antaŭ malalta, apenaŭ rimarkebla palma arbusto, kun longaj pintaj folioj, en formo de ventumilo. Li faldrompis unu tian folion inter la fingroj kaj el la rompita loko li eltiris dekon da maldikaj fadenetoj.

- Jen la ŝnurego kiun vi bezonas.

Sed la ŝipestro ne havis ŝerceman humoron:

- Ŝajnas ke tiu knabaĉo volas primoki nin, - li diris malbonhumore.

- Ne. Kumeŭaŭa ne primoki. Multaj tiaj fadenetoj kune estas ŝnurego. Multaj mallongaj ŝnuregoj kune fariĝi longa ŝnurego. Rigardu!

Dum li tion ĉi diris, li kuŝigis la fadenojn sur sian femuron, kaj tenante ilian finaĵon per unu mano, per la alia li rulis la fadenojn tiel, ke ili interplektiĝis en maldikan sed tre fortan ŝnuron. Tuj poste per lertaj movoj li eltiris fadenojn el du aliaj folioj, kunrulis ilin. Poste per simila procedo, inter la femuro kaj la manplato li interplektis la tri ŝnurojn en pli dikan kaj fortikan ŝnuron. Li donis ĝin al la ŝipestro dirante:

- Disŝiri ĝin, se povi.

Nek li nek la aliaj povis disŝiri[41] ĝin.

---

41) 찢다 ①ŝiri. 갈기갈기 ~ disŝiri. ②fendi. 찢기다 esti ŝirita. (옷이 어디에 걸려-)찢긴 데 ŝireto. 찢어내다 deŝiri, elŝiri. 찢어서 떼어내다 → 찢어내다. 찢어지게 하다 ŝirigi, krevigi. 찢어지다 ①ŝiriĝi. ② (살점이-)ŝirvundi. ③krevi. 찢어진 데 (상처) ŝiro, ŝiraĵo. 찢어진 조각 ŝirpeco. 찢어짐 ①ŝiriĝo. ②rompiĝo. (빵 따위를)찢어 쪼개다① dispecigi. ②disŝiri. ③rompi.

- Bone, - diris la ŝipestro sed por plekti dekmetran ŝnuregon tiel ni bezonus tutan monaton. Tio estas neebla.

- Se ni ĉiuj labori, antaŭ noktiĝo ŝnurego preta. Mi ne kredas, sed tamen ni provu, - diris la ŝipestro dubeme.

- Bone. Ĉiuj iri serĉi tian malgrandan palmon, kaj klopodi el ili eltiri fadenojn. Fadenoj esti longaj. Kiu ne sukcesi, voku min por montri.

Ni ĉiuj disiris en la ĉirkaŭaĵo. Kelkaj tuj sukcesis eltiri fadenojn, dum aliaj eĉ ne rekonis la folion, kaj bezonis la helpon de la knabo. Sed post lia instruo unu post la alia, ĉiuj triumfe montradis manplenon da preskaŭ nevideblaj fadenoj.

- Unu el vi kunigi la fadenojn, kaj porti ilin al mi. Kumeŭaŭa plekti.

Post momento komencis alvenadi al li la kunigita amaso da fadenoj. Li eksidis sur falintan trunkon kaj inter la nuda femuro kaj la manplato komencis krei longan ŝnuron, kunigante la multajn fadenojn en unusolan.

Iu junulo longe lin observis, kaj poste diris iom timeme:

- Ŝajnas al mi ke ankaŭ mi povus tion fari.

- Certe vi povi, - respondis la indiano. - Sidi kaj provi. Ne esti malfacile!

La unua peco estis plena de nodoj. Sed la dua jam fariĝis pli bona, kaj la trian oni ne povis distingi de tiu, kiun Kumeŭaŭa ĵus faris. Nun jam ili du kune plektadis la ŝnurojn, kaj baldaŭ ankaŭ tria aliĝis kaj lernis la 'metion'. La laboro de la triopo ĝuste sufiĉis por prilabori la tutan kvanton da fadenoj, kiuj estis konstante alportataj.

Dum tri horoj daŭris la laboro, dum kiu tempo kvazaŭ en vetkurado, ĉiu klopodis laŭebie plej multe kontribui al la komuna celo. La entuziasmo estis tre granda. La nekredemo malaperis. Subite la knabo ekkriis:

- Sufiĉe! Ne bezoni pli eltiri fadenojn.

Li havis antaŭ si naŭ ŝnurojn dikajn kiel krajono, kaj ĉiu el ili estis longa dudek metrojn. Nun li komencis, helpate de du junuloj, interplekti la ŝnurojn. Tre baldaŭ pretiĝis ŝnurego egale dika kiel la ŝipa ŝnurego, al kiu oni devis tiun ĉi aldoni. Nur anstataŭ dek metroj ili faris dudek, do eĉ pli ol estis bezonate.

Ĝenerala ĝojego ekregis, kiam la ŝipestro deklaris, ke la ŝnurego estas pli forta ol kiu ajn alia kiun li konis, kaj ke helpe de ĝi certe ili sukcesos eltiri la ŝipeton en la daŭro de la morgaŭa tago. Ĉiuj nun eĉ kun pli granda estimo rigardis al la eta indiano.

Vesperiĝis intertempe. Ni ĉiuj eksidis ĉirkaŭ la fajro por ripozi. Iu sinjorino longe observis la bronzkoloran knabon, kaj subite demandis:

- Diru al mi, knabeto, kion signifas tiuj du nigraj rondoj sur viaj vangoj?

- Per tiuj tatuitaj rondoj sur la vangoj oni signas en mia tribo la plenaĝulojn.

Mi sciis ke tiu klarigo ne estas kompleta. Tial mi petis la knabon rakonti al ni, kiel li ricevis tiujn signojn.

- En la tribo Karaĵa ĉiu knabo kaj knabino senpacience atendi la tempon por rajti ricevi tiujn rondetojn. Ilia nomo 'omaruro', - komencis Kumeŭaŭa sian rakonton. - Nur havante tiun signon, la knabo fariĝi vera membro de la tribo. Tiam li povi iri ĉasi kun aliaj indianoj, partopreni kunvenojn kaj dancojn, prepari sin por esti sorĉisto kaj, se trovi bonan knabinon, peti ŝin por edzino. Same la knabino, nur kiam ŝi ricevi 'omaruro', esti virino, povi labori kaj amuzi sin kun aliaj kaj edziniĝi.

Sed ne esti facile ricevi la nigrajn rondetojn. Ne sufiĉi la aĝo. Unue necese lerni memstare vivi meze de la praarbaro, sen ia ajn helpo de aliaj.

Ĉe ni knabo de la unuaj jaroj de la vivo komenci lerni klopodi koni la naturon en ĝiaj diversaj formoj. Ekde la kvina jaro infano lerni pafi per sago, kiel ĉe vi blankuloj komenci skribi kaj legi. Por ni tiel grave pafi, kiel ĉe vi koni la literojn. Tiam mia patro por mi fari malgrandan pafarkon. Du jarojn poste, mi jam sola fabriki pafarkon kaj sagojn. Poste lerni eltiri fadenojn kaj fabriki ŝnuron por pafarko.

En tiu tempo Kumeŭaŭa jam akompani la pli aĝajn dum fiŝkaptado. Ankaŭ ĉasi kelkfoje, sed malofte mi trafi beston aŭ fiŝon. Pli aĝaj neniam ridi pri mi. Ĉiam kuraĝigi kaj kelkfoje ĉasisto stari malantaŭ mi por mortigi la beston, se mi maltrafi.

Iun tagon la tribestro ordoni al mi, ke mi ekbruligu fajron per sekaj branĉetoj. Post longa kaj pena frotado, fine mi sukcesi. Kumeŭaŭa povi naĝi kiel malgranda infano, same kiel ĉiuj kamaradoj. La pli aĝaj kelkfoje intence renversi pirogon, por devigi nin naĝi. Kiam mia patro konstruis pirogon, Kumeŭaŭa multe helpi lin. Tio bona lernejo por mi.

Antaŭ unu jaro la maljunuloj de la tribo kredi min sufiĉe lerta por eniri la grupon de dek junuloj de 12 ĝis 15 jaraĝaj, kun kiuj mi dum tuta jaro ekskursi, ĉasi, fiŝkapti kaj multe vojaĝi tra riveroj kaj praarbaroj. Ĉiam akompanis nin granda ĉasisto Teŭoro. Li instrui nin ĉion kion knaboj ne scii. Tiu jaro esti plena de aventuroj, agrablaj kaj malagrablaj.

Lasta monato en arbaro knaboj estis solaj. Sen instruisto. Ni pentris korpojn nigrajn kaj harojn mallonge trancîs, por esti ridindaj kaj ne alproksimiĝi al vilaĝoj.

Kiam ni sanaj revenis, knaboj devis fari grandan ekzamenon por montri rezulton de lernado. Tribestro Úatau montri al ni piedsignojn de diversaj bestoj kaj demandi kiu besto kiam tie pasis. Ankaŭ devi sekvi kaj ĉasi bestojn laŭ piedsignoj. Konkurso de naĝado sekvi kaj ni kune rapide devi konstrui dometon. La tuta tribo observi nin.

Fine ĉiuj vidis ke ni estas pretaj por esti plenaĝuloj. Tiam komenci la ĉefa ceremonio. Maljuna sorĉisto Oarete bruligi rondan malfermon de sia pipo kaj premi ĝin forte sur mian vangon. Kiam pipo tuŝi vangon, karno ekbruli. Tian teruran doloron mi senti, ke larmoj de la okuloj fluis. Kumeŭaŭa forte premi la pugnojn, tiel ke ungoj vundi la manojn. Mi volis kriegi per fortega voĉo, sed ne rajtis eĉ vorton diri. Granda honto vekrii por knabo kiu volas fariĝi vera ĉasisto plenaĝa.

Poste nigran farbon enmetis sorĉisto en la

rondetojn sur la vangoj kaj ili resti tie por ĉiam. Mi rigardis miajn amikojn. Iliaj vizaĝoj palaj pro sufero, sed brilaj pro feliĉo. Estis plej granda tago en mia vivo.

Kumeŭaŭa eksilentis. Ankaŭ ni ĉiuj silente meditis pri la lernejo de la praarbaroj, pri kiu la knabo al ni ĵus rakontis. Neniu plu deziris primoki la indianeton pro la nigraj rondetoj sur lia vizaĝo. Nia estimo al li refoje kreskis.

5. SERĈANTE OVOJN DE TESTUDOJ

La sekvantan matenon ni frue leviĝis, ĉar granda laboro atendis nin. Laŭ la programo ŝipanoj kaj pasaĝeroj, ĉiuj kune laboros por eltiri la ŝipon el la profundaĵo. Ankoraŭ mi estis duondormanta, kiam alvenis la ŝipestro:

- Mi petas bonvolu sugesti al la indianeto, ke li ankaŭ hodiaŭ ĉasu ion por ni. Kaj se li volas, bonvolu akompani lin. Mi vidas ke vi fariĝis bonaj amikoj, li tre ŝatas vian akompanon.

La tasko estis por mi tre agrabla. Mi ĵetis rigardon ĉirkaŭ la bivako, kaj ekvidis la indianon apud la fajro, ion rapide farantan.

- Taterianombo, Kumeŭaŭa! (Tio ĉi estas saluto en karaĵa, kiu signifas 'mi alvenis.')

— Arerina, Njikuĉap! (Tio ĉi estas responda saluto, kiu signifas 'mi estas ĉi tie.')

- Kion vi faras tiel urĝe?

- Mi preparas sagojn por la ĉasado. Ĉu vi iri kun mi?

- Kompreneble. Kial vi faras tiom da malsamspecaj sagoj?

- Ĉar ankaŭ ne ĉiuj bestoj esti egalaj. Jen, tiu ĉi sago, kun la pinto el akrigita bambuo en formo de lanco, estas plej forta el ĉiuj. Ĝi necesa por defendo kontraŭ jaguaro. Ankaŭ per ĝi ni povi ĉasi tapiron[42] kaj apron.[43] Tiu ĉi alia sago, kun pinto el nigra malmola ligno kun dentaj entranĉoj, estas ĉefe uzata por fiŝkaptado. Tiuj, similaj sed pli fortaj, bone ĉasas cervojn, tamanduon[44] kaj aliajn grandajn bestojn.

- Mi vidas, ke kelkaj finiĝas per osto. Por kio ili estas uzataj?

- Tiu ĉi kun pintigita simia osto, ĝuste uzata en ĉaso de simioj. Tiu alia kun osto de vosto de rajo, por ĉaso de birdoj. Por ĉasi malgrandajn birdojn, uzata tiu ĉi sago kun kvin pintetoj, disigitaj per pilketo. Kaj tiun ĉi, kiu finiĝi per senpinta osteto, ni uzi por ĉasi birdon, kiun ni ne volas mortigi, sed kapti vivan. La frapo per tiu ĉi osto nur faligas ĝin, kaj tiam ni kuri kaj kapti. Kiam ĝi vekiĝi, jam estas en kaĝo.

- Tre bone, Kumeùaùa, mi vidas ke vi bone pristudis la aferon.

- La maljuna indiano Maloa diras: "Iru ĉasi nur

---

42) tapir-o <동물> 맥(貊).
43) apr-o <동물> 산돼지, 야생의 돼지. ~o gruntas 산돼지가 꿀꿀거리
   다. ☞ babiruso, fakohero.
44) tamandu-o <동물> 작은개미핥기.

se vi havas en koro kuraĝon kaj en la mano bone preparitajn armilojn."

La knabo leviĝis kaj montris en la direkton de la rivero. Tien ni iris kaj enŝipiĝis en la pirogon.

– Mi opiniis – mi diris – ke ni iros al la arbaro.

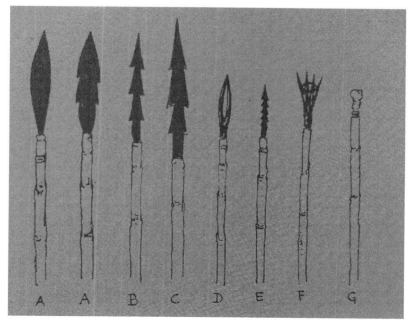

Diversaj sagopintoj uzataj de la indianoj Karaĵa
A- por jaguaro A- por jaguaro   B – por fiŝoj C – por cervoj kaj aliaj D - por simioj E - por birdoj   F — por birdetoj G- por kapti vivajn birdojn

– Jes, tien ni iri, sed unue voli vidi, ĉu ie proksime troveblaj ovoj de testudo. Frumatena horo plej bona por serĉi ilin. Njikuĉap, ĉu vi ŝati ovojn de testudo?

– Ho, mi tre ŝatas! Sed estas malfacile trovi ilin.

Ni navigis laŭlonge de la riverbordo kovrita per densega praarbara vegetaĵaro. La grandegaj arboj estis interplektitaj per longaj, kurbiĝantaj lianoj. De tempo al tempo ni preterpasis ankaŭ sablokovritan plaĝon. Antaŭ unu el ili ni haltis. La knabo diris:

– Ĉi tie ni kolektos ovojn de testudo. Jen ĝiaj postsignoj.

– Sed mi vidas tie tutan konfuzan amason da diversaj piedsignoj. Kiel vi scias ke ĉi tie testudo elmetis ovojn?

– Ĉu vi vidas, Njikuĉap, tiujn rondajn piedsignojn? Ili apartenas al la testudo. Hieraŭ vespere ĝi eliris el la akvo, supreniri al la alta riverbordo. Kiam ĝi certiĝi ke esti tute sola, ke neniu alia besto estas proksime, ĝi elfosis truon profunda kiel mia kruro ĝis la genuo, kaj same tiel larĝan. Dum la nokto tien ĝi elmetis siajn ovojn. Poste ĝi fermis la truon per sablo kaj per sia kiraso glatigis la surfacon kvin paŝojn ĉirkaŭ la ovoj. Tiel ĝi bone kaŝis la lokon de aliaj bestoj, kiel krokodilo kaj simioj. Kiam ĝi fini laboron, ĝi reiri en akvon. Tie pli dekstre vi povas vidi ĝiajn piedsignojn.

- Sur tiu glatigita ronda surfaco mi vidas du truojn. Ŝajnas ke jam iu estis ĉi tie kaj elprenis la ovojn.

- Ovoj ankoraŭ sur sia loko, atendi nin. Frumatene iu birdo, eble la granda marabuo,[45] alvenis al la rivero por trinki akvon. Kiam fini tion kaj turniĝi, la birdo vidis la postsignojn de la testudo. Ĝi memoris pri ovoj kaj iris serĉi ilin. Ankaŭ birdo ŝati manĝi ovojn de testudo. Sed birdo ne havis multe da feliĉo. Ĝi renkontis survoje krokodilon, kiu eliris el la akvo ankaŭ por serĉi manĝaĵon. Ĉu vi vidi ĝiajn piedsignojn, kun la spuro de la vosto en la mezo? Krokodilo tre danĝera kiam serĉi manĝaĵon. Ĝi ataki kiun ajn beston. Kompreneble, birdo povus ekflugi kaj savi sin, sed esti tro okupita pensi pri testudaj ovoj. Ili koliziis kaj batalo komenciĝis, el kiu resti nur kelkaj disĵetitaj plumoj de birdo kaj makuloj de sango sur la sablo. Jen, ĉu vi vidi? Poste krokodilo daŭrigi. Jen spuroj de ĝiaj malgrandaj piedoj kun grandaj ungoj, kaj vosto tirata en la mezo.

- Jen supre ĝi fosis truon por serĉi la ovojn. Jes, sur du lokoj. Sed ĝi ne trovi ilin. Tiam ĝi malgaja reiri en la akvon.

---

45) marabu-o <조류> 황새의 일종.

- Mi jam vidas la spurojn kiujn ĝi lasis ĉe la malsupreniro. Tute dekstre mi vidas spurojn de jaguaro. Ili transiris tiujn de la testudo. Certe ankaŭ inter ili okazis interbatalo kiam ili renkontiĝis.

– Se rigardi pli bone, Njikuĉap vidi ke testudo pasis tie hieraŭ vespere, ĉar ĝiaj piedsignoj kovritaj per brila roso. La piedsignoj de jaguaro freŝaj, de la hodiaŭa mateno. Ĝi venis al la rivero por trinki akvon, kaj trankvile reiris al la arbaro.

Ni elŝipiĝis kaj supreniris la altan riverbordon. Kumeŭaŭa prenis sian maĉeton, tiam li laŭvide mezuris la centron de la spaco glatigita de la testudo. En tiu loko li malrapide kaj iom ceremonie enigis sian maĉeton en la sablon, ĝis la tenilo. Post eltiro li observis ĝian pinton. Tuj poste, kun triumfa rideto li etendis la pinton de la maĉeto sub mian nazon. Sur ĝi mi povis vidi restaĵojn de ova flavaĵo.

Mia amiko tuj entuziasme ekfosis sur tiu loko. Post nur kelkaj minutoj aperis la unua ovo. Ronda kaj blanka kiel pilko de ping-pongo, de kiu ĝi diferenciĝis nur per la moleco kaj elasteco[46] de sia ŝelo... kaj eble ankaŭ per sia gusto. Sekvis aliaj ovoj en rapida sinsekvo, ĝis kiam granda

---

46) 신축성 (伸縮性)elasteco. ~있는 elasta. ☞ deformebla, plastika.

amaso da ili staris apud la truo. Mi nombris ilin: estis 120.

Tiu ĉi trovaĵo ŝajnis al mi vere stranga. Mi ne povis imagi, kiel unusola testudo povas porti en si tian amason da ovoj. Kiom ofte ĝi elmetas tian kvanton? Kial ĝi kaŝas ilin en la sablon, kaj kiel la idoj povos eliri ĝustatempe el tiu truo? Ĉiuj ĉi demandoj troviĝis en mia kapo, sed mi ne volis fari demandojn por ne ŝajni tro stulta antaŭ la juna indiano. Sed Kumeŭaŭa verŝajne vidis sur mia vizaĝo la surprizon, kaj li sentis la bezonon doni kelkajn klarigojn tiurilatajn.

La grandaj akvaj testudoj estas pli ol unu metron longaj, kaj preskaŭ same tiom larĝaj, laŭ tio, kion la knabo klarigis al mi. Ili kolektas en si la ovojn dum kelkaj monatoj ĝis la fino de la seka sezono, kiu finiĝas en aŭgusto. Tiam ili elmetas ilin en la truon en la sablo. Nur unufoje jare. La lasta monato de la seka sezono sufiĉas por ke la suno varmigante la sablon kreu la kondiĉojn por la elkoviĝo de la etaj testudoj. Ĝuste en tiu tempo komenciĝas la grandaj pluvoj. La rivero tiam kreskas ĝis la alta bordo. La sablo moliĝas pro la pluvo kaj la etaj testudoj, ĵus elirintaj el la ovoj, facile elnaĝas kaj eniras la riveron.

- Kiel majstre aranĝis ĉion la naturo, - mi

ekkriis.

- "Homoj pri ĉio pensas. Bestoj ne pensas, ili ĉion scias," diri maljuna Maloa.

Ni kuiris dekon da ovoj en argila poto. La blankaĵo de testudovo estas likva[47] kiel oleo, kaj ĝia flavaĵo densa, sableca. Ili gustas kiel salumitaj kokinaj ovoj. Kvazaŭ la naturo pensus eĉ pri tio, ke ĉi tie la homoj ne posedas salon.

- Mi dankas, Ŭaŭa, ke vi montris al mi kiel oni serĉas testudovojn.

- Gardu vian havaĵon sed disdonu vian scion, ĝi ne elspeziĝi.

- Ĉu ankaŭ tion diris la maljuna Maloa?

- Jes. Sed se ne li diri, ĉe ni ĉiu indiano esti iomete Maloa.

Ni ekpadelis malrapide, laŭlonge de la milda akvofluo de Aragvajo.

---

47) likv-a 액체의, 유동의, 수분이 많은. ☞ fluida. ~o, ~aĵo 액체, 유동체. ☞ fluaĵo. ~igi 액화(液化)하다, 용해하다. ~igo, ~iĝo 액화, 용해. ~amaso <의학> 일출(溢出). ~amaso de cerbo 뇌출혈. Bordoza ~aĵo <농업> 보르드 액(液)(살균제 농약).

6. LA PLEJ DANĜERA BESTO DE LA PRAARBARO

Post mallonga navigado Kumeŭaŭa haltigis la pirogon en malgranda kaŝita golfo, kaj tie ligis ĝin al trunko.

- Tie ĉi ni eniros en la ĝangalon.

La knabo detranĉis kelkajn grandajn foliojn de arbara banano, kaj elŝiris du longajn ŝnurecajn striojn el la suba ŝelo de iu proksima arbo. Tiam li enpakis la ovojn en la foliegojn kaj ligis la pakaĵon per la strio en plurajn direktojn, tiel firme, ke neniu besto povus eĉ flari la ovojn, kaj eĉ malpli atingi ilin. Li lasis la pakaĵon en la pirogo.

Per kelkaj frapoj de maĉeto li malfermis vojeton al ni en la ĝangalon. Ni eniris la frumatenan, vekiĝantan arbaron. La viglaj movoj de la bestoj kaj iliaj gajaj krioj montris la ĝojon de la praarbarloĝantoj pro la naskiĝo de la nova tago.

- Bone ni faris ekirante tiel frue, - mi diris. - Ŝajnas ke nun komenciĝas la vivo en la ĝangalo.

- La maljuna indiano Maloa diri: "Fungojn kolektu post pluvo, bestojn ĉasu frumatene!" -

respondis Kumeŭaŭa.

Ni marŝis klopodante rompi laŭeble plej malmulte da branĉetoj por ne interrompi la harmonion de la naturo. Subite la indianeto haltis por montri al mi iujn freŝajn piedsignojn kun premita folio.

- Antaŭ ne pli ol duonhoro jaguaro pasis ĉi tie. Vere, eĉ mi povis konstati la freŝecon de la piedsignoj.

- Ĉu estas vero - mi demandis - ke la jaguaro estas la plej danĝera besto en tuta Amazonio?

- Kelkfoje jes. Precipe se ĝi esti proksima. Kiam la jaguaro malproksima, ĝi tute sendanĝera.

- Bone, bone, kamaradeto, vi ĉiam filozofumas, ĉu je nomo de maljuna Maloa, ĉu je...

Mi ne atingis findiri la frazon, ĉar subite ni ekaŭdis strangan sonon. Ĝi venis pli kaj pli proksimen.

- Aproj, - ekkriis la knabo ekscitite. - Rapide surgrimpi la arbon!

Kvankam mi ne komprenis la kialon, helpata de la indianeto mi rapide surgrimpis ĝis la unua granda branĉo de la proksima arbo, kaj poste mi helpis al li fari la samon. Ni atingis tiun sekuran lokon en la lasta momento. Nur sekundojn poste, grandega aro da aproj estis jam tute proksima, senbride kureganta, per la kunfrapado de la dentoj kreante inferan bruegon. Eble cento da ili kuregis sovaĝe rekte al nia arbo. Se ni estus restintaj sur la tero, ilia impeto faligus nin teren kaj per la dentegoj ili disŝirus nin. Kaj nun estis strange observi de nur kelkmetra alteco tiun aregon da sovaĝbestoj, kiuj bruege kuradis tra la ĝangalo, distretante ĉion sur sia vojo. Miaj tremantaj manoj spasme premadis la brançon sur kiu mi kuŝis.

La junulo preparis sian sagon kaj arkon kun la intenco ĉasi unu el la aproj. Mi elektis unu grandan el ili kaj montris al ĝi:

- Ĉasu tiun!

- Neeble, - li rediris. - Se mi mortigi unu el ili, ĉiuj ceteraj ataki nian arbon tiel fortege, ke ili elŝiri ĝin, kaj disŝiri nin. Apro ege venĝema. Tial eble mortigi nur la lastan el la grego, tiel ke ceteraj ne rimarki,

Tion ĉi la knabo kriegis al mia orelo, ĉar alie mi ne povus aŭdi lin pro la dentoklakado de la aproj.

Kaj dum la bestaro pasis sub niaj ekscititaj rigardoj, mi pensis pri tio, ke ne estas facila tasko esti indiano, se oni devas koni tiel detale la vivon kaj kutimojn de ĉiu sovaĝbesto. Same la artifikoj n[48] por ĉasi aliajn, por ne esti ĉasita de ili.

Kiam la bestaro perdiĝis en la arbaro kaj ĝia bruego iom post iom mallaŭtiĝis, sub niaj piedoj restis kuŝanta la lasta el ili. Ĝi estis trapikita per la sago de mia eta amiko, kies spirita staturo ĉiam pli kaj pli kreskadis en miaj okuloj. Ni descendis de la arbo kaj aliris al nia viktimo. Ĝi estis mezgranda ekzemplero de apro, kun du grandaj kurbaj dentegoj en la makzelo.[49] Ĝia pezo povis esti pli ol kvindek kilogramoj.

- Kiel ni povos transporti tiun ĉi bestegon, - mi demandis.

- Ni devos ĝin unue rosti. Ĉu vi havas alumetojn?

Mi palpis[50] miajn poŝojn kaj poste konfesis, ke mi forgesis alporti ilin.

Sed tiu fakto ne konfuzis la knabon. Li ekrigardis ĉirkaŭ si kaj aliris al iu falinta seka

---

48) artifik-o 기교(技巧), 술책(術策), 계책, 계략, 속임수. ☞ elturniĝo, intrigo. ~a 기교 있는, 술책을 부리는. ~i 무엇을 기교로 하다, 술책을 부리다. ~ulo 기교를 부리는 사람, = ~isto. sen~a 성실한, 숨김이 없는. ☞ senarta.

49) makzel-o ①<해부> 턱. supra, malsupra ~o 위의, 아래의 턱; ~osto 턱뼈.

50) palp-i [타] ①만지다, 더듬다, 더듬어보다. ②(손으로)애무하다, 만져주다. ~e 만져서, 더듬어서, 암중모색하여, 어림치고, 대중없이. ~ado 만지기, 더듬기, 촉진(觸診). ~ebla 만질 수 있는, 만져지는, 자명(自明)한, 명백한, 확실한, 쉽게 감지할 수 있는. ~ebla pruvo 명백한 증거. ~ilo <동물> 촉각(觸覺). fuŝ~i 거칠게(서투르게) 만지다, 더듬다. pri~i [타] 더듬어 찾다(조사하다·확인하다).

palmo. Per la maĉeto li dishakis la trunkon kaj el ĝia mezo li eltranĉis du sekajn lignopecojn. El unu li fabrikis platan tabuleton dum el la alia bastoneton. Tiam li eksidis sur trunkon, premis teren per la piedoj la tabuleton, kaj sur ĝin apogis vertikale[51] la bastoneton. Tiun ĉi lastan li ekfrotis inter la manplatoj, premante konstante ĝian pinton kontraŭ la tabuleton.

Proksimume dek minutojn daŭris la laboro, sed al mi ĝi ŝajnis tuta eterneco. La knabo eĉ por unu sekundo ne interrompis la streĉan laboron. Ŝvito fluis de lia frunto. Fine aperis fumo sur la loko, kie la du lignetoj sin tuŝis. Ankoraŭ iun tempon li daŭrigis la frotadon. Fine, kiam la fumo abunde leviĝadis el la lignopecoj, li almetis apud la brulanta loko pecon de seka fungo kaj ekblovis sur ĝin plenpulme. Baldaŭ ankaŭ la fungo ekfumis kaj tuj poste ekflamis. Ni havis fajron.

Intertempe mi kolektis iom da sekaj branĉoj ka, branĉetoj, kaj ni ekbruligis fajregon indan je nia ĉasaĵo. Dum la fajro plene ekflamis, ni purigis la apron kaj fiksis ĝin sur stangon, kiun ni enigis en la teron. Dum mia amiketo ekkusis surdorse por

---

51) vertikal-a 수직(垂直)의, 세로의. ~a murego 수직으로 선 벽; starigi foston ~e 기둥을 수직으로 세우다. ☞ horizontala. ~o ①수 직선(垂直線). ②= ~ilo. ~eco 수직, 수직의 정도. ~ilo 추선(錘線). ☞ rektoŝnuro, niv-elilo.

ripozi de la streĉa ĉasado kaj la ekbruligo de la fajro, mi gardis la rostaĵon, ke ĝi ĉiuflanke egale rostiĝu kaj ne bruliĝu.

La suno intertempe eliris. Per purpura koloro ĝi lumigis la suprojn de la arboj. Subite ni ekaŭdis de malproksime murmuron, kvazaŭ pluvo ekfalus sur la foliaron.

Kumeŭaŭa eksidis kaj aŭskultis. Mi rimarkis maltrankvilon sur lia vizaĝo. Ni ambaŭ samtempe ekrigardis teren. Iom granda serpento preterrampis nin je duonmetra distanco, en granda hasto. La knabo trankvile atendis la foriron de la serpento. Ankaŭ aliaj bestoj panike rapidis, ĉiuj en la saman direkton, eĉ ne rimarkante nian ĉeeston. Intertempe la stranga murmuro fariĝis pli forta.

- Kio okazas, Kumeŭaŭa? - mi demandis.

- Venas la soldat-formikoj! Ankaŭ ni devas forkuri!

Mia unua penso estis rapide surgrimpi arbon, por savi nin, same kiel ĉe la alveno de la aproj. Sed apenaŭ mi komencis grimpi, la knabo donis al mi mansignon ke mi descendu.

Li klopodis depreni la porkon de la fajro, sed li ne sukcesis, ĉar ĝi estis peza kaj varmega. Ĝi enfalis en la fajron. Mi volis helpi al li, sed jam estis tro malfrue. Ni jam eksentis sur niaj kruroj rampantajn formikojn. Per siaj dolorigaj pikoj ili igis nin eksalti.

Ni provis per la manoj forskui ilin, sed tio montriĝis preskaŭ neebla, tiel forte ili alkroĉiĝis. Krome dum ni unu deprenis, dek aliaj surgrimpis. Tiam la knabo ekkriis ke mi lin sekvu.

Li kuregis inter la arbustoj tiel rapide, ke apenaŭ mi sukcesis sekvi lin. Baldaŭ mi lin perdis, sed tuj poste mi ekaŭdis lian vokon, laŭ kiu mi povis orientiĝi. Ni jam troviĝis je nur kelkaj metroj de la riverbordo, sur la loko, kie ni lasis nian pirogon. Antaŭ ol eniri la boaton, mia amiko forpuŝis ĝin de la bordo kaj ligis ĝin al subakva trunko. Sidante en la pirogo, de kelkmetra distanco, ni povis vidi, kiel la trunkoj, branĉoj kaj folioj, same kiel la herbejo kaj la tero kovriĝas per milionoj kaj milionoj da formikoj. Ĉio fariĝis nigra, kvazaŭ nevidebla peniko sternus nigran farbon sur la tutan pejzaĝon. La spektaklo estis akompanata de murmuro, kiu nun kreskis al surdiga tamburado.

Subite ni rimarkis ke ankaŭ la riverbordo antaŭ ni kovriĝis per maldika sed densa nigra kovrilo. Tiuj soldat-formikoj montris ke ili eĉ la fajron ne timas. Ili ĝin atakas kiel ardan malamikon. Kompreneble, la unuaj dudek aŭ kvindek mil formikoj forbrulas, sed trans la cindron de iliaj kadavroj pasas multaj milionoj da kunuloj. Ŝajnas ke ili marŝas en difinitan direkton, transirante ĉiujn obstaklojn kaj neniigante antaŭ si ĉiun vivan estaĵon.

Ĉiam pli kaj pli da ili amasiĝis ĉe la riverbordo, je kelkdek metroj de ni. Ŝajnis al mi, ke ili preparas atakon kontraŭ nin. Mi ekrigardis la knabon, kaj lia trankvila sinteno ankaŭ min trankviligis. Kaj nun okazis io, kion mi ne povis kredi, malgraŭ ke ĝi okazis antaŭ miaj konsternitaj okuloj. Multaj milionoj da formikoj kuniĝis sur malgranda spaco kaj kunpremis sin en grandan bulon.[52] Komence ĝi havis grandecon de piedpilko, sed la insektoj de la arboj kaj la tero iom post iom alvenis por pligrandigi per siaj korpoj la pilkon, ĝis la alteco de mezstatura viro. Tiam, kiam eĉ ne unu formiko estis plu videbla sur la arboj, la pilkego, kvazaŭ movita per magia forto, ekruliĝis en la akvon.

La nigra bulo ruliĝis direkten al la mezo de la rivero, dum samtempe la akvofluo ĝin portis rivermalsupren. Kiam ĝi atingis la mezon, la pilkego daŭrigis la antaŭeniron ĝis kiam ĝi atingis

---

52) bul-o (不定形이지만 둥근 모양에 가까운)덩어리. ☟ sfero, veziketo, volvaĵo. ~igi 둥근 덩어리를 만들다. ~iĝi 동그랗게 되다. ☟ aglomeriĝi.

la kontraŭan riverbordon.

Ni mute rigardis la eksterordinaran vojaĝon de la vivanta pilkego. Pro emocio ni eĉ ne vorton interŝanĝis. Nur kiam la formikaro atingis la kontraŭan bordon, mi demande ekrigardis mian kunulon.

- Nun pilko disfali, - li komentis. - Armeo de formikoj daŭrigi sian vojon, tra fajro kaj akvo laŭ difinita direkto. Sur bordo lasi nur formikojn de la surfaco de la pilko, kiuj mortis por protekti la aliajn.

- Eksterordinara ekzemplo de sinofero! Ni homoj povus multon lerni de diversspecaj bestoj.

Ni eliris sur la teron. Nur nun mi rimarkis, ke niaj kruroj estis kovritaj de vezikoj pro la formikaj pikoj. Alirinte al nia fajrujo, nur amason da cindro ni trovis. Sur ĝi kuŝis la skeleto de nia apro, tute blanka, purigita de la etaj sovaĝbestoj.

Dum kelka tempo ni malgaje observis la restojn de nia ĉasaĵo. Poste la knabo diris:

- La sama sorto atingi ankaŭ homon kiu pro vundo, malsano aŭ profunda dormo ne forkuri ĝustatempe.

- Aŭ kiu surgrimpus arbon anstataŭ eniri la akvon - mi aldonis.

- Njikuĉap respondi mem al la demando, kiu

besto plej danĝera en la ĝangalo.

- Tiu, kiu nin ĝuste atakas. Mi ne scias ĉu la maljuna Maloa jam diris tion aŭ ne, sed la hodiaŭa sperto sufiĉas por konkludi tion.

7. BATALO KONTRAŬ DAZIPO

Ni postlasis la skeleton de la sola ĉasaĵo tiumatena kaj ekiris por enprofundiĝi en la praarbaron. Tiu ĉi fariĝis ĉiam pli kaj pli densa, kaj montriĝis necese tratranĉi tra ĝi vojeton per niaj maĉetoj. Komence antaŭe marŝis Kumeŭaŭa, sed kiam li laciĝis, mi prenis lian lokon. Ni progresadis malrapide. Niaj korpoj konstante suferadis la frapojn de la branĉoj kaj la pikojn de dornoj kiuj malfermis vundojn sur nia haŭto.

Dum mi marŝis antaŭe, la knabo subite kaptis min ĉe la zono, kaj tiel forte ektiris malantaŭen ke mi falis teren.

– Kion vi faras? – demandis mi kolerete. – Kia infanludo ĝi estas?

– Resti surtere, Njikuĉap! – li kriis kaj ekkaŭris apud mi.

Ekrigardante antaŭ min mi ekvidis grandegan boaon, specon de grandegaj serpentoj malrapide malvolviĝantan de branĉo. Ĝi certe estis longa pli ol kvar metrojn. La brunaj kaj nigraj ornamoj sur ĝia svelta korpo donis belecon al la besto. Tamen, en tiuj danĝeraj cirkonstancoj mi ne povis ĝui ĝian belecon.

- Ni restis tiel senmovaj sur la tero, ĝis kiam la bestaĉo iom post iom malvolvis sin de la branĉo, kaj malrapide forrampis en la direkton kontraŭan al ni. Mi sciis ke tiu serpento ne estas venena, sed tamen estas tre danĝera. Kutime ĝi ĉirkaŭvolvas la viktimon - beston aŭ homon - poste per forta stringo[53] rompas ĝiajn ostojn por fine engluti ĝin. La boao nekredeble larĝe kapablas malfermi sian buŝegon. Sed kiam ĝi englutas apron aŭ alian grandan beston, ĝia stomako tiom ŝvelas[54], ke ĝi ne povas eĉ moviĝi. Pro tio ĝi pasigas ĝis du semajnojn kuŝante sur la loko, kie ĝi englutis sian viktimon, ĝis kiam ĝi tute digestis ĝin. Dum tiu tuta periodo la boao estas sendanĝera, kaj estas facile kapti aŭ mortigi ĝin.

Kiam la serpento malaperis en la verdaĵo de la

---

53) string-i [타] 조르다, 죄다, 껴안다, 포옹하다. ~o, ~ado 껴안기, 포옹, 죄기, 졸라매기, 속박, 중압.

54) ŝvel-i [자] (부피가)부풀다, 팽창하다, 커지다, (종기 따위가)부풀어 오르다, (울어서 얼굴이)붓다, (강·냇물이)불다, (소리가)높아지다, (씨앗 따위가 물 속에서)붓다. ☞ pufiĝi, streĉiĝi. ~a 부풀은, 부은, 팽창한. ~o, ~ado 팽창. ~aĵo 부푼 것, 팽창한 것, 종기, 종창(腫脹). ~igi 부풀리다, 팽창시키다. ~iĝi 부풀다, 팽창되다, 부어오르다. ~forma 부푼 모양의. ~forma jupo 부푼 모양의 치마. ~mola 부풀어서 말랑말랑한, 푹신한. ~parolo (말·문장 따위의)과장(誇張). ~paroli 과장되게 말하다. ~tubero 혹, 육봉(肉峰), 곱사등. ~ventro 뚱뚱한 배. mal~i [자] (부푼 것이)가라앉다, 납작하게 되다. mal~a 납작한, 시들은, 축 늘어진. ☞ velka. frost~o <의학> 동상(凍傷), =pernio.

- 62 -

arbaro, ni leviĝis, kaj mi denove dankis al mia juna amiko ke li refoje savis min de granda danĝero. Li respondis:

- "Kiu bone rigardas, havas du vivojn", diri Maloa.

- Nur du vivoj ne sufiĉus por mi en tiu ĉi ĝangalo.

Ni apenaŭ estis foririntaj de tiu loko, kiam mia kamarado haltis kaj atente aŭskultis. Maldekstre de ni io moviĝadis. Tuj poste aperis la kaŭzinto de la bruo: temis pri dazipo[55] tiel granda, kian neniam mi vidis antaŭe. Kiam ĝi ekvidis nin, la besto kuntiris sin akirante formon de pilko, pli granda ol piedpilko. Ĝia karapaco[56] konsistanta el tri zonoj, perfekte kovris la tutan beston, lasante sur ĝi nur du etajn lokojn, unu por la triangula kapo kaj alian por la longa vosto. Sed ankaŭ tiuj ĉi korpopartoj havis siajn proprajn karapacojn.

La surprizita besto restis senmova dum momento. Dum momento sufiĉe longa por ke Kumeŭaŭa ĝin kaptu kaj alten levante triumfe ĝin montru al mi. Sed ĝuste kiam li sin preparis por ligi la beston per ŝnuro, per rapida movo la dazipo sin elturnis el la manoj de la indiano, kaj fulmorapide ekkuris tra la densejo.

---

55) dazip-o <동물> 아르마딜로(貧齒目 동물. 중남미산). ☞ armadelo.
56) karapac-o <동물> (거북이 · 게 따위의)등딱지. 갑각(甲殼).

Kumeŭaŭa tuj lanĉis sin post la beston, sed baldaŭ dornoplena arbusto baris al li la vojon, kaj li devis forlasi la persekutadon. Ankaŭ mi ekkuris por helpi lin en la malfermado de vojeto fortranĉante lianojn, sed jam estis tro malfrue. Ni nur vidis la dazipon enkuri en truon sur malgranda altaĵo. Tiu verŝajne estis ĝia kaverno.

- Ŭaŭa, mi tre bedaŭras ke ĝi eskapis al ni, - mi diris dezirante lin konsoli. - Tiu ĉi estas hodiaŭ jam la dua perdita ĉasaĵo.

- Ankoraŭ ĝi ne tute perdita. Maloa, la maljuna indiano diras: "Provi ĉion, kaj poste diri neeble." Ni provi per fumo eligi ĝin el la kaverno. Mi denove fari fajron.

Kaj mia eta amiko ekkaŭris kun du sekaj branĉetoj por froti ilin unu kontraŭ la alia dum dek minutoj. Fine fajro ekestis.

Intertempe mi denove kunigis sufiĉe da branĉetoj kaj baldaŭ ni havis gaje kraketantan[57] fajron. Ni enpremis la branĉetojn kune kun la brulanta fajro, kaj precipe multe da seka herbo, en la tunelon tra kiu la besto estis malaperinta.

---

57) krak-i [자] 팍, 퍽, 탁, 탕, 쾅하고 소리를 내다. 폭음을 내다. 바스락 · 삐걱 · 와지끈하고 소리 내다. (눈을 밟을 때)빠드득 소리 내다. ☞ klaki, knari, eksplodi. ~o 쾅, 탕, 팍 하는 소리, 와지끈, 바스락, 삐걱. ~adi 반복해서 바스락 · 빠드득 소리 내다. neĝo ~adas 눈이 빠드득하고 소리를 낸다. ~eti 약하게 후다닥 소리 내다. ~igi 삐걱 소리를 내게 하다, 쾅 소리를 내게 하다. ~fajraĵo 폭죽(爆竹). =petardo.

Ni plenŝtopis la truon poste per verdaj folioj de difinita arbo, kiu produktis densegan blankan fumon.

Tiam la indianeto detranĉis freŝan longan palmofolion, kaj per lerta maniero el ĝi plektis grandan ventumilon. Tuj poste li kaŭriĝis antaŭ la tunelo kaj eksvingis la ventumilon tiel, ke ĝi enigis la tutan fumon en la internon de la kaverno. Intertempe li petis min kolekti grandan amason da branĉoj kaj folioj, donante instrukciojn pri tio, kiuj folioj donas pli densan fumon.

La konstanta svingado de la ventumilo estis intensa. La indianeto ŝvitadis sur sia tuta korpo. Post iom da tempo mi anstataŭis lin, kaj mi tiam povis konstati, kiom peza laboro ĝi estas. Ankaŭ el mi ekfluis riveroj de ŝvito.

La kaverno jam certe estis plenplena de fumo, ĉar tra kelkaj fendoj sur la tero komencis fumfaskoj eliradi. El la interno de la kaverno aŭdiĝis fortaj frapoj de korpo kontraŭ la muroj.

- Dazipo nervema! — diris la malgranda ĉasisto. - Jam besto ne scii kion fari. Kolera kaj kuri de unu flanko al alia, por rompi muron kaj eliri.

Sendube la densa fumo ege sufokadis la povran beston.

Sed Kumeŭaŭa estis kontenta. Ne ĉar li deziris

turmenti la bestojn. Ne. Li tre ŝatis ilin. Sed kiel ĉiu ĉasisto, li estis en batalo kontraŭ la besto, kaj lia sola celo estis venki, per kiu ajn maniero. La besto uzas sian ruzon, kaj la ĉasisto la sian. Ili estas rivaloj, ĉiu el ili avida superi la alian.

Subite ni ekaŭdis rapidajn kurantajn paŝojn en la tunelo. La dazipo sufokigita de la fumo aperis antaŭ ni. La indianeto tuj forĵetis la ventumilon kaj ĵetis sin sur la enirejon de la tunelo por kapti la dazipon. Tiu ĉi, ne perdante la spiritĉeeston, turnis sin, por denove eniri sian nekomfortan rifuĝejon. Ĝi preferis sufokiĝi, ol fali en la manojn de sia malamiko, la ĉasisto. Sed lastmomente Kumeŭaŭa tamen sukcesis kapti ĝian voston per ambaŭ manoj.

– Njikuĉap, Njikuĉap... helpu! – kriis la knabo, kiun la besto per sia tuta forto tiris en la kavernon. Mi, do, eksaltis kaj kaptis la voston kovritan per ostaj ringoj, kaj komencis tiri kune kun Kumeŭaŭa. Ni ambaŭ kune apenaŭ povis rezisti la grandan forton de tiu ne tre granda besto. Ĝi per siaj ungegoj enfosis sin en la fundon de la tunelo, senespere klopodante savi sin de ni.

Fine ni eltiris ĝin. Unu bato sur la kapon per la tenilo de la maĉeto sufiĉis por svenigi ĝin. Tiam ni povis trankvile ĝin ligi per ŝnuro el fibro de arboŝelo.

Ni ambaŭ estis kontentaj. Ni eksidis por ripozi de la ekscita laborego. Mi laŭte pensis:

- Nun bonvenus iom da freŝa akvo. Ni estas ege soifaj.

Kumeŭaŭa leviĝis kaj ekiris al liano pendanta de granda arbo.

Per du fortaj svingoj de maĉeto li detranĉis unu kaj duonon da metro longan pecon de tiu liano. Elstreĉinte ĝin al mi li diris:

- Jen akvo, trinku, Njikuĉap!

Mi ekridetis, pensante ke li ŝercas. Je vido de mia nekredemo, la knabo levis unu ekstremon de la liano al sia buŝo, kaj la alian iom pli alten. En tiu momento el ĝi ekfluis pura akvo kvazaŭ el fonto.

Mia mirego ankoraŭ daŭris, kiam mi agis same, estingante la soifon per klara kaj bongusta akvo.

- Ĉu vi, Njikuĉap, ne konis la akvan lianon? Ĝi trovebla en tiuj ĉi arbaroj.

- Ne. Sed kiam vi lernis ĉion ĉi, Kumeŭaŭa?

- La tempo kaj la neceso estas la plej bonaj instruistoj. Vi scii kiu diris.

- Ho, Maloa, maljuna saĝulo el la amazoniaj praarbaroj!

8. LA LASTA VESPERO EN LA PRAARBARO

Ni estis revenantaj al la bivako, padelante kontraŭ la riverfluo. Sur la fundo de la pirogo kuŝis krom la pakaĵo kun la testudovoj la bone ligita dazipo, unu arbara meleagro kaj du verd-ruĝaj papagoj.[58] La birdojn Kumeŭaŭa sukcesis ĉasi per sia sago. Mi konstatis ke je 40-metra distanco li kun certeco trafas la celon, sed kun facileco li povas elpafi la sagon la duoblon de tiu distanco.

Kiam mi gratulis al li pro tio, li diris, ke la plenkreskaj indianaj ĉasistoj atingas duoble pli ol li, kaj ankaŭ trafas la celon kun certeco je okdek metra distanco.

Post unuhora padelado ni atingis la ŝipeton kiu nun, je nia surprizo, troviĝis tre proksime al la riverbordo, kaj kun sia plej granda parto ekster la akvo. Do, la riparlaboroj estis progresantaj.

Alproksimiĝante, ni povis vidi ĉiujn virajn

---

58) papag-o ①<조류> 앵무새. ②<비유> (뜻도 모르고)남의 말을 옮기는 사람, 모방자. ~e ripeti 앵무새 같이 따라하다. ~umi [자] 앵무새처럼 따라하다. ~malsano <의학> 앵무병(앵무새류의 전염병), =psitakozo. mar~o 펭귄의 일종, =fraterkulo.

pasaĝerojn en vico laŭlonge de la ŝnurego. Tirante la ŝnuregon super la unua disbranĉiĝo de granda arbo, ili ne nur alproksimigadis la ŝipon al la bordo, sed ankaŭ levis ĝin.

Kiam la homoj nin rimarkis, ili komencis paroli pri nia alveno. Vidante ke ilia tuta atento direktiĝis al ni, la ŝipestro, kiu gvidadis la laborojn, devis ordoni paŭzon en la laboro. La pasaĝeroj kuniĝis ĉirkaŭ ni. Ankaŭ la virinoj kaj infanoj kiuj troviĝis proksime al la fajro alkuris por ĉeesti nian elŝipiĝon. Verdire, ne estis ni mem la centro de ilia interesiĝo, kiom la ĉasaĵo kiun ni alportis. Ekde la frumateno, kiam la laboroj komenciĝis, ĝis tiu momento, kaj estis jam preskaŭ tagmezo, nenion oni manĝis. Estas do komprenebled ke ĉiuj pensis pri iuj bongustaĵoj kiujn ni eble alportos.

Kiam ni elmetis ĉion sur la bordon, ekestis ĝenerala ĝojo, ĉar evidentiĝis, ke ni alportis pli ol oni povos manĝi tiun tagon.

La etan indianon tri junuloj levis sur siajn ŝultrojn, kaj en gaja triumfa marŝo portis ĉirkaŭ la fajrujo, kun krioj kaj rido.

— Bonega ĉasisto vi estas se vi kapablas nutri tridek personojn. Sen via ĉeesto mi ne scias kion ni farus! — diris la aĝa sinjoro kiu kolektadis monon por li.

Dume Kumeŭaŭa kondutis kvazaŭ li eĉ ne aŭdus tiujn laŭdajn vortojn. Li nur plue trankvile ridetis.

Dum aliaj rekomencis la eltiradon de la ŝipo, ni du, kun la helpo de kelkaj el la pasaĝerinoj, eklaboris por purigi la ĉasitajn bestojn kaj prepari ilin por tagmanĝo. En certa momento la indianeto foriris en la arbaron, kaj post kelkaj minutoj revenis kun areto da folioj en la mano. Ili estis iuspeca arbara cepo, kiu bonvenis por iomete spici la rostaĵon. Cetere, tiu estis la sola spicaĵo pri kiu ni disponis. Poste la knabo alportis ankaŭ pecojn de ŝelo de iu arbo, kiun li zorge pulvorigi s[59] inter du ŝtonoj. Tiu pulvoro havis guston similan al papriko,[60] kaj nur tre eta kvanto ĝia sufiĉis por tute ŝanĝi la guston de la manĝaĵo.

- Unu... du... tri... nun! aŭdiĝis la voĉo de la ŝipestro.

Poste sekvis diversaj voĉoj eligitaj de la laborantoj, kiuj atestis ilian grandan fortostreĉon.

---

59) pulvor-o ①가루, 분말. ～o de oro, arĝento 금, 은가루; ～o de pipro 후추 가루. ②분무(噴霧)한 물 입자, 물안개. ☞ nebulo, aerosolo. ～a 가루의, 가루가 된. ～eco 가루(가 된) 상태. disfrakasi ion ĝis ～eco 무엇을 가루가 되기까지 박살내다. ～igi 가루로 만들다, 분무하다. ～igi sukeron 설탕을 가루로 만들다; ～igi parfumon 향수 뿌리다. ～igilo 분말기, 분무기. ～sukero 가루 설탕. lav～o 세제(洗劑), 가루 비누. sur～igi …에 가루를 뿌리다.

60) paprik-o <식물> ①(헝가리産)고추. ②고추 가루. =ruĝa pipro. ☞ kajena pipro.

Fine aŭdiĝis ankaŭ kraketa sono, kaŭzita de la frotado de la ŝnurego sur la arbotrunko. Ni klare povis vidi, ke la ŝipo iom post iom moviĝadis.

Tiu ĉi sceno multfoje sinsekve ripetigis, kaj la ŝipeto troviĝis pli kaj pli proksime al la riverbordo.

Kiam mi vidis, ke mi ne estas necesa ĉe la fajrujo, ĉar la virinoj okupiĝis pri la kuirado, mi aliris al la laborantoj por helpi al ili.

- La tagmanĝo estas preta! - ekkriis post iom da tempo unu el la sinjorinoj.

Kvazaŭ sekvante nerezisteblan ordonon, subite ĉiuj forlasis la laboron, kune kun la ŝipestro, kaj alkuris al la fajrujo, de kie alloga odoro de rostaĵo etendiĝis.

La testudovoj kaj la dazipviando estis bone distribuitaj, dum la birdoj restis por esti manĝataj vespere.

La viando de la dazipo estis blanka kaj mola. Malgraŭ tio, ke neniu el ni estis manĝinta ĝin antaŭe, ĉiuj trovis ĝin bongusta.

Posttagmeze ni daŭrigis la laborojn pri la eltiro de la ŝipo. Kiam la pruo jam estis tre alte levita, ni ligis la ŝnuregon al la poŭpo por certigi la ekvilibron de la ŝipo.

Je vesperiĝo ankaŭ tiu laboro estis finita. Nun ni

povis klare vidi la lokon, kie la subakva trunko estis penetrinta en la flankon de la ŝipeto. Nur du tabuloj estis frakasitaj. La ŝipestro asertis ke la tuto estos facile riparebla dum la sekvanta mateno. Tiel verŝajne ni la sekvantan posttagmezon povos ekveturi.

- Do, ĉu morgaŭ estos nia lasta tago ĉi tie? - mi demandis, pensante pri tio, ke bedaŭrinde mi devos forlasi mian etan amikon.

- Ekzakte, - diris la ŝipestro - kaj mi estas certa, ke neniu el ni tion bedaŭras.

Mi ne volis kontraŭdiri lin, kaj retenis por mi mian opinion. Samtempe mi rimarkis ke Kumeŭaŭa ĵetas al mi rigardon, en kiu mi rekonis malgajon. La laboro estis finita por tiu tago. Nun iuj ripozis, dum aliaj sin lavis ĉe la rivero.

- Njikuĉap, veni rigardi ion, - diris Kumeŭaŭa, kaj alkondukis min en la internon de la arbaro, en kiu ankoraŭ penetradis la lastaj radioj de taglumo.

- Mi promeni iom en la ĉirkaŭaĵo, kaj malkovri vojeton sur kiu la bestoj vespere kaj matene iri al la rivero por trinki akvon. Ĉu Njikuĉap deziri iri kun mi vidi bestojn?

Komprenelbe ke mi deziris.

Li montris al mi la vojeton. Ĝi estis plena de

plej diversaj spuroj, el kiuj kelkajn la indiano klarigis al mi. Li legis la spurojn, kiel malfermitan libron. Poste ni surgrimpis sur grandan arbon proksime de la rivero. Ni firme eksidis sur dikan brancon de kiu ni havis bonan panoramon de la rivero kaj la vojeto.

Apenaŭ ni lokigis nin komforte kvazaŭ en loĝi o[61] de teatro, ni ekaŭdis sonojn similajn al infana ploreto.

- Kio ĝi estas? - mi demandis.

- Simioj, - li respondis mallaŭte, kaj metante sian montrofingron sur la lipojn, li silentigis min, por ne averti la bestojn pri nia ĉeesto.

Ne sen kialo. Post momento branĉo de la najbara arbo ekmoviĝis kaj de ĝi komencis descendi tuta simia familio. Grandan vir-simion sekvis iom malpli granda simiino, portanta sur la dorso ideton. Ĉiuj estis brunkoloraj, kun longaj elastaj vostoj. Ili aliris la akvon kaj tie komencis trinki kaj bani sin ludante petoleme. Ankaŭ la simieto ricevis kompletan higienan[62] prizorgon, kiel bona patrino kutimas doni al sia infano.

Subite altiris mian atenton movo sur la vojeto

---

61) ①(극장의)칸막이 좌석, 박스 좌석. ☞ partero, galerio. ②<건축> 로지아, 외랑(外廊). ☞ teraso, portiko, altano, balkono. ③(비밀결사) 프리메이슨과 그 회의실. ~mastro 비밀결사의 의장(議長).

62) higien-o 위생(학), 보건, 건강법. ~a 위생적인, 위생학의. ~a vivo 위생적인 생활; ~aj libroj 위생학 도서. ~isto 위생학자.

sub ni. Tie ĵus aperis tamanduo kiu malrapide kaj majeste balanciĝis antaŭen al la akvo. Ĝia korpo havis grandecon de granda hundo, kaj ĝia vosto kun larĝe pendantaj haroj en granda arko postsekvis la korpon, svingiĝante je ĉiu paŝo. Sed plej stranga estis ĝia kapo. Ĝi estis maldika kaj longa preskaŭ duonmetron, finiĝanta pinte. De tempo al tempo ĝi malfermetis sian buŝon por eligadi el ĝi la longan maldikan langon, per kiu ĝi kunigadis formikojn de la vojeto. Ĝia longa hararo estis nigra kun blanka strio sur la korpo kaj la vosto. La formikmanĝa tamanduo havis grandajn kurbajn ungegojn sur la piedoj, pro kio ĝi mallerte marŝis. Sed malgraŭ tio ĝi estis bela. En ĝiaj movoj estis io tiel majesta, ke nia spirado ekhaltis dum ni ĝin rigardis.

Subite Kumeŭaŭa ekprenis mian manon. Kio emociigis lin? Mi turnis min en la direkton de lia rigardo kaj ekvidis la jam konatan nigre makulitan flavan pelton de jaguaro. Ĝi estis alproksimiĝanta tra la vojeto kun ritma kaj elasta paŝado. Sed ĉi foje en ĝia digna sinteno estis io facilanima, senzorga: ĝi ja ne iris por serĉi viktimon, sed simple al sia vespera trinkejo.

Mia koro ekbatis pli forte. Mi sciis ke tri metrojn sub ni pasas la reĝo de la ĝangalo, sovaĝbesto antaŭ kiu ĉiuj loĝantoj de la praarbaro timtremas. Pro tio ege surprizis min kion mi vidis dum la proksimaj kelkaj sekundoj. Mi estis certa ke ĉiuj aliaj bestoj diskuros por sin savi, kiam la jaguaro atingos la akvon. Sed je mia konsterniĝo nenio simila okazis. La simioj plue okupiĝis pri sia ideto, la tamanduo ankoraŭ ne eltiris la duonon de sia longa pinta kapo el la akvo, dum la jaguaro serĉis al si liberan spacon. Ĝi antaŭenpuŝis sian kapon super la akvon por suĉtrinki ĝin per la lango, kvazaŭ granda kato.

Mi ĵetis al mia kamarado demandoplenan rigardon. La okazaĵoj nepre bezonis klarigon.

- Matene kaj vespere dum trinkado en ĝangalo paco... Bestoj ne ataki unu la alian, - flustris al mi Kumeŭaŭa.

Nun mi komprenis. La bestoj havis interkonsenton pri armistico[63] dum la horoj de mateniĝo kaj vesperiĝo, kiam eĉ la plej akraj malamikoj pace renkontiĝas ĉe la trinkejo. Malfacile kompreneble por iu kiu ne konas la sekretojn de la praarbaro. Sed ni jam komencas fariĝi membroj de la granda praarbara familio.

La jaguaro post la trinko dufoje streĉis siajn krurojn kaj oscedis, kiel dormema kato. Poste ĝi

---

63) armistic-o <법학> 휴전, 정전, 휴전(조약).

per la lango glatigis sian pelton kaj reiris al la ĝangalo, el kiu ĝi estis veninta.

Kelkajn minutojn post ĝia foriro aperis alia granda besto: tapiro. Tuj post ĝi sekvis alia, iom malpli granda. Ili estis similaj al tre grandaj porkoj. Iliaj nazoj estis ege longaj, kaj pendis. La tapiro estas la sola dikhaŭtulo de la amazoniaj ĝangaloj.

Dum la tapira paro sin banadis, petole sin rulante en la malprofunda akvo, la ceteraj bestoj unu post la alia reiris al la arbaro. Intertempe Kumeŭaŭa elektis la plej fortan el siaj sagoj, kontrolis ĝian korektan staton kaj apogis ĝin sur la ŝnuron de la arko, pafopreta. Tiel li atendis kelkajn minutojn, ĝis kiam la tapiroj ĉesis la banadon kaj ekmarŝis survoje al la ĝangalo. La ino iris antaŭe. Nun la indianeto per sia tuta forto streĉis la arkon kaj elpafis la sagon. Ĝi profunde eniĝis en la nukon de la virbesto, kiu iris malantaŭe. La trafo estis tiel akurata, ke la tapiro tuj falis kaj restis senmova surloke. Se la tapiro estus trafita en iu ajn alia loko, ĝi povus ankoraŭ longe kuri tra la arbaro, antaŭ ol morti.

Rapide ni descendis de la arbo kaj provis levi la beston por treni ĝin al la bivako. Sed estis neeble eĉ ekmovi ĝin el la loko. Ĝi pezis eble pli ol cent kilogramojn.

Tiam ni iris al la bivako kaj vokis dekon da kunvojaĝantoj por helpi al ni. Kvar el ili portis torĉojn – ĉar intertempe tute mallumiĝis — dum la ceteraj ekprenis la bestegon kaj trenis ĝin kun granda peno. Kiam ni venis al la fajrujo, ekestis ĝenerala admiro pro la grandeco de la besto. Tiu admiro miksiĝis kun la ĝojo ke la tapiro certigis al ni manĝaĵon por la morgaŭa tago.

Kvar viroj laboris por senhaŭtigi la tapiron kaj por elpreni ĝiajn internajn organojn. Detranĉinte la unuopajn partojn de la besto, oni pendigis ilin sur la branĉojn de proksima arbo. Po du homoj devis kune levi unu ŝinkon de la tapiro, kiu estis pli granda ol ŝinko de porko.

Ni parolis pri tio, ĉu estas preferinde rosti ĝin tuj, aŭ lasi tiun laboron por la morgaŭa tago. Iu petis la opinion de la juna indiano. Li respondis:

- Maloa diras: "Nekuirita viando altiras bestojn, kuirita homojn."

Verdire ni ne komprenis kion li intencas diri per tiu frazo, kaj ni nur ekridetis, kiel al spritaĵo. Nur pli malfrue ni komprenis la profundan sencon de tiu diro.

9. AMIKECO INTER HOMO KAJ BESTO

- Njikuĉap, ni hodiaŭ lastan tagon esti kune. Posttagmeze vi forveturi per ŝipo, kaj mi reiri al la tribo.

Kumeŭaŭa diris al mi tiujn ĉi vortojn kun rideto sur la lipoj. Mi tamen rimarkis geston kiu certigis al mi, ke li preferus plilongigi nian kuneston.

Je tagiĝo, la matena malvarmo kunigis nin ciujn ĉirkaŭ la fajro. Apud ĝi kuŝis grandaj pecoj de la rostita viando de tapiro, kiun ni dum la pasinta nokto estis devigitaj rosti, por ne altiri la sovaĝbestojn per la odoro de la nekuirita viando.

- Ni estas prizorgitaj por almenaŭ du tagoj koncerne manĝaĵon dank'al la indianeto. Ni aldonu iom da mono al la jam kolektita, - diris la sinjoro kiu tion jam antaŭe faris. Ĉiu enĵetis ankoraŭ kelkajn monerojn en la saketon.

Dum tio okazis, la knabo turnis sin al mi :

- Estus bone ke vi kunportu ankaŭ iom da frukto.

- Jes, estus bone.

- Venu kun mi, ni serĉos ananason.[64]

Ni ekmarŝis tra la ĝangalo sur vojeto kiun ni mem faris la hieraŭan tagon kaj ni rekonis ĝin laŭ la multaj trançitaj brançetoj. Post longa silento mi demandis la knabon:

- Kiel vi scias, ke ananasoj troviĝas en la proksimeco?

- La tapiro, kiun ni ĉasis hieraŭ, havis dornetojn de ananaso en la nazo. Ĝi ne sentis ilin, ĉar ĝi esti dikhaŭtulo. Ĝi manĝis ananason eble du horojn antaŭ ol morti. Ĝi havis en la stomako ankoraŭ freŝajn foliojn.

Subite mia kamaradeto haltis kaj kaptis mian manon. Li aŭskultis kun granda atento. Per la okuloj li ekmontris al mi en la direkton de malgranda herbejo ĉirkaŭita de arbustoj. Tien mi rigardis kaj la vidaĵo ege surprizis min: du belaj, sufiĉe grandaj kapreoloj[65] paŝtis sin tie senzorge, eĉ ne rimarkante nian ĉeeston. La vidaĵo estis ĝuinda. Mi demandis la knabon flustre:

- Ĉu la viando de la kapreolo estas manĝebla?

- Bongustega ĝi estas.

Ankoraŭ kelkan tempon ni staris tiel, kiam la indianeto komencis fajfadi laŭ stranga maniero, verŝajne imitante la voĉon de kapreoloj. Ili levis la kapojn kaj ekrigardis nin scivoleme. Ili pintigis la

---

64) ananas-o <식물> 파인애플.
65) kapreol-o <동물> 노루. ☞ alko, boaco, cervo, damao, rangifero.

orelojn. Kaj nun okazis io neatendita. La knabo apogis arkon kaj sagojn al arbo kaj per malrapidaj kaj malpezaj paŝoj li ekmarŝis en direkton al la kapreoloj. Li atingis ilin, kaj la bestoj ankoraŭ trankvile staris tie, rigardante la knabon rekte en la okulojn. Kumeŭaŭa ekkaresis la glatan brilan pelton sur la kolo de unu el ili. La ĉarma besto tion volonte permesis al li. Sekvis karesado laŭlonge de la dorso. Poste la knabo ĉirkaŭbrakis la kolon de la kapreolo kaj apogis sian kapon al la ĝia.

- La kapreoloj tiom karesemaj, venu Njikuĉap!

Mi alproksimiĝis malrapide, por ne ektimigi ilin per mallerta movo. Unu el ili permesis ke ankaŭ mi karesu ĝiajn nazon kaj kolon. Poste, tute subite, sen ia videbla kialo, ĝi eksaltetis. Ankaŭ la alia ektimis tiam, kaj ili ambaŭ per malrapidaj saltoj malaperis en la ĝangalo.

- Mi treege ami la bestojn, diris la knabo.

- Kumeŭaŭa ŝati ilin karesi, paroli kun ili kaj esti ilia bona amiko, kaj ne malamiko kun sago en la mano.

Tiu ĉi subita ŝanĝo ege surprizis min. Ĝis nun mi vidis la junulon nur kiel ĉasiston kaj ŝajnis al mi, ke en la bestoj li vidas nur ĉasaĵon. Kiam li rimarkis mian miron, li rapidis doni klarigon:

- Nun ĉiuj viaj kamaradoj havi sufiĉe por manĝi. Mi ne bezoni plu ĉasi. Maljuna Maloa diri:
"Besto mortigi alian beston, nur kiam malsata. Homo ne devi esti pli malbona ol besto!"

Nun mi komencis vidi ankaŭ la alian flankon de la karaktero de mia juna amiko. Mi eksentis al li eĉ pli da estimo ol antaŭe.

Li prenis denove siajn armilojn kaj ni daŭrigis la marŝadon. Ni marŝis tiel unu horon senĉese. La sunradioj jam lumigis la plej suprajn branĉojn de la arboj. Ĝi aldonis ĉarmon al la arbara etoso.

Brueto aŭdiĝis sub proksima arbusto. Ni ambaŭ samtempe ekvidis testudon grandan kiel duono de piedpilko. Ankaŭ ĝi ekvidis nin kaj ekkuris por sin ie kaŝi. Mi postkuris ĝin kaj klopodis kapti sed sensukcese. Ĝia karapaco estis glita kaj krome ĝi havis ungegojn kiuj ŝajnis al mi danĝeraj. Mia kunulo nur observis miajn mallertajn movojn kaj ridetis pri ili. Fine, kiam li konsideris ke la besto povus eskapi, li alkuris kaj per lerta movo de sia arko renversis la testudon sur la dorson. Tiel ĝi kuŝis svingante la kruretojn, sed nekapabla sin turni aŭ movi de la loko.

Poste Kumeŭaŭa levis nian viktimon kaj diris:
- Ĝi sufiĉos al ni por bonega matenmanĝo.

Li svenigis la beston per frapo de maĉeto kaj

metis ĝin kun la karapaco sur fajron kiun mi rapide ekbruligis.

10. KUMEŬAŬA ŜATAS LA MIELON

Dum ni sidis apud la fajro rostante la testudon, la rigardo de Kumeŭaŭa vagadis en ĉiujn direktojn, kiel ĉiam. Samtempe li rigardis al la plej altaj branĉoj kaj al la tero antaŭ siaj piedoj. Same li povis malkovri postsignojn de tapiro kiel neston de birdeto sur branĉo kaŝita en la foliaro. Subite li demandis min:

- Ĉu vi ŝatas mielon?

- Kompreneble ke mi ŝatas. Sed ni ne parolu pri io, kion ni ne havas.

- Nenio estas pli bongusta ol ananaso kun mielo. Ananasojn ni baldaŭ havos kaj dum vi finbakos la testudon, mi klopodos havigi al ni mielon el tiu arbo. Ĉu vi vidas la trueton en la alto de tiu arbo?

Li montris ien malproksimen kaj alten, sed mi nenion povis vidi.

La knabo unue volis al si fari ujon en kiun li enmetos la mielon.

Tiucele li detranĉis bambuan kanon. Zorge li tranĉis ĝin sub unu el la nodoj tiel, ke ĝia malsupra finaĵo estu fermita per la nodo mem. La supran parton li detrančis sub la proksima nodo, lasante tiun finaĵon malfermita. Nun ni havis ujon unulitran. Sed tio ŝajnis al li tro malmulte kaj li sammaniere fabrikis ankoraŭ unu ujon.

Por havi la manojn liberajn, li decidis pendigi la ujon sur sian ŝultron. Sed per kio li faros tion? Certe li ne embarasiĝis. La knabo aliris altan arbon kun hela ŝelo. Per frapo de maĉeto li trančis la ŝelon proksime de la tero kaj tuj poste forte tirante per la manoj li disigis de la arbo longan strion de tiu ŝelo. Pro la forta tiro la tuta longa strio disiĝis de la arbo, ekde la tero ĝis la unuaj branĉoj, kaj tie deŝiriĝis. Tiam Kumeŭaŭa lerte disigis la internan tolecan subŝelon de la vera malmola ekstera ŝelo. Tiel li ekhavis longan, flekseblan ŝnuron. Per ĝi li ligis ambaŭ ujojn kaj faris al ili longajn maŝojn, per kiuj li pendigis ilin al siaj ŝultroj. Poste li deprenis ankoraŭ kelkajn striojn de ŝelo de la sama arbo, kaj havigis tiel al si plurajn longajn ŝnurojn.

La knabo, tiel preparita, aliris al la rivereto kiu nin dividis de la mielohava arbo, kun la intenco transiri ĝin. Sed en la fundo de la profunda bedo de la rivereto la akvo estis kovrita per densa dornohava arbustaro, kaj li ne emis malsupreniri tien. Post momenta ĉirkaŭrigardo li detranĉis je la alteco de sia kapo de iu altega branĉo pendantan lianon. Li pendigis sin kun pezeco sur la lianon por provi ĝian rezistkapablon. Tiam li per forta svingo ekflugis trans la riverbedon, firme tenante la lianon per manoj kaj kruroj. Li alteriĝis sur la kontraŭa bordo kaj, kvazaŭ nenio estus okazinta, daŭrigis la marŝadon al la arbo kun la abelujo.

Tiam li komencis la grimpadon sur la arbon. Tiu tasko ankaŭ ne estis tute facila, ĉar la arbo estis dika kaj havis glatan ŝelon. Kumeŭaŭa tiam sen pensi eĉ momenton, ĉirkaŭvolvis ĉirkaŭ siaj du piedoj, en formo de '8' longan ŝnuron. Per tiu volvaĵo li sin apogadis, kvankam tio postulis grandan fortostreĉon de li. Tiel la knabo alvenis ĝis la alteco de dek metroj de la tero. Tiam li deprenis la ŝnurojn de siaj piedoj kaj ligis sin ĉirkaŭ la talio al la arbo. Nun li povis libere uzi la manojn, sen danĝero de falo.

Per sia maĉeto li komencis pligrandigi la truon de la abelujo. Tuj ĉe la unuaj batoj oni povis aŭdi la reeĥon de la kavigita trunko. En tiu kavaĵo troviĝis la ujo de la sovaĝabeloj. Feliĉe ili ne pikas kiel la hejmaj abeloj, ĉar en tiu kazo mia amiketo certe ricevus centojn da pikoj.

Mi vidis kiel li enigas la manon en la truon,

eltiras la abelvakson kaj elpremas el ĝi mielon en la bambuajn ujojn. Dum li tiun operacion ripetadis, li de tempo al tempo lekis sian manon dirante:

- Bongustega estas tiu ĉi mielo. Mi kredas ke nenio pli bongusta ekzistas en la mondo!

Kiam ambaŭ ujoj estis plenplenaj, li descendis. Denove uzante lianon li transsaltis la riverbedon. Li rapidis regali min per mielo, kaj mi devas diri ke ĝi estis vere bongusta.

Dum mi distranĉadis la rostitan testudon, la knabo kovris la du bambuajn ujojn per larĝaj folioj, kiujn li ĉirkaŭligis per ŝnuro. Tiel ili estis facile manipuleblaj, sen danĝero ke la mielo elfluu.

Post la konsumo de la testuda viando li diris:

- Ĉu vi scii, kion mi vidis supre? Ke ni esti proksime al la ananaskampo. Iru ni tien!

Vere ni marŝis eĉ ne dek minutojn, kiam ni alvenis al eta kampo plenkreskita per kaktosimilaj plantoj, kun longaj, dornoplenaj kaj glavoformaj folioj, starantaj supren ĝis unumetra alteco. Demande mi rigardis la knabon.

- Jen esti ananaso, Njikuĉap. Ĉu vi ne vidas? Fakte, mi ne vidis la fruktojn ĝis kiam mi aliris al tiuj erinacaj arbustoj. Kumeŭaŭa faris tion tre zorgeme gardante sian nudan korpon de la pikiloj kaj liberigante al si vojon per la maĉeto. Tiam li subite kaŭriĝis, tranĉis ion, kaj alten levis oranĝkoloran, kiel melono grandan ananason. Li elĵetis ĝin al mi, sed ĝia dorneca surfaco igis ke mia unua renkonto kun ĝi ne estis tre agrabla. Sed Kumeŭaŭa daŭre malfermadis al si vojon tra la dense kreskantaj dornaj arbustoj. De tempo al tempo li ĵetis oranĝkolorajn fruktojn al miaj piedoj. Fine ankaŭ mi komencis sekvi lian ekzemplon. Mi hontis ke malgraŭ la altaj botoj kiujn mi surhavis, mi timas la dornojn kiujn la nuda indianeto defias.[66]

Post la ricevo de multaj pikoj, ankaŭ mi lertiĝis pri la rikoltado de ananasoj. La fruktamaso fariĝis tiel granda, ke mi ektimis ke ni ne povos ĝin forporti. Mi nombris 35 ananasojn. Dum mi nombris ilin, la knabo senŝeligis unu el ili kaj distranĉis ĝin en rondajn tranĉaĵojn. Li kovris ilin per mielo, kaj nun mi povis konvinkiĝi ke mia kamarado ne troigis: ni estis ĝuantaj veran delikataĵon.

Por transporti la fruktojn al la bivako, ni detranĉis du branĉojn. Tiam pendiginte po ok sur ĉiun ekstremon de la branĉoj, ni ambaŭ portis po

---

66) defi-i [타] 도전하다, …에게 시합을 신청하다. ☞ maltimi. ~o 도전.
   fari, akcepti ~on 도전을 하다, 받아들이다.

unu tian branĉon en ekvilibro sur la ŝultro.

Ŝvitante, kun dolorigitaj ŝultroj, sed tre kontentaj ni atingis la bivakon.

11. INDIANA ADIAŬO

Kvar homoj staris en la akvo ĝis la zono riparante la ŝipon. Nun jam la truo estis malaperinta kaj ili kovradis la lokon per vakso por plifirmigi la riparaĵon.

Post la tagmanĝo ĉiu manĝis kiel deserton duonan ananason, kaj la alian duonon ĉiu kunportis por la vojaĝo. Ĉiuj estis kontentaj pro tio, ĉar ĝi estis la sola frukto kiun ni vidis dum tiuj tagoj. Kaj mi eĉ ne parolu pri la entuziasmaj krioj kiujn kelkaj pasaĝeroj aŭdigis, kiam ili la unuan fojon gustumis ananason kun mielo de sovaĝabelo!

La duono el la homoj nun puŝadis la ŝipon al la mezo de la rivero, dum la ceteraj subtenadis ĝin per ŝnurego, por ke ĝi ne kliniĝu flanken. Fine la ŝipeto staris en profunda akvo, konvene ankrita. Ŝipanoj purigadis la ferdekon kaj la internajn ejojn de koto, kaj pluraj pasaĝeroj helpis ilin. Aliaj elportadis siajn valizojn al la ferdeko kaj klopodis sekigi siajn robojn kaj aliajn objektojn. La ŝipeto sajnis foiro de la plej diversaj kaj multkoloraj objektoj. Multaj valizoj estis disfalintaj pro la akvo, aliaj estis nerekoneblaj pro la deformiĝo.

Subite denove aŭdiĝis la voĉo de la sinjoro kiu estis faranta kolekton por Kumeŭaŭa.

- Knabo, je la nomo de ĉiuj ni, mi sincere dankas ĉion kion vi faris por ni. Prenu tiun ĉi saketon da mono, kiun ni ĉiuj kolektis por vi.

- Mi ne bezoni monon. Ĉio kion mi bezoni, estas havebla en la arbaro, kaj kio ne troviĝi ĉi tie, mi ne uzi.

Senkonsidere al tiuj vortoj, la sinjoro mem sin klinis de la ferdeko al la pirogo, kaj en ĝin lokigis la saketon.

Mi sidis en la pirogo kune kun Kumeŭaŭa. Subite li senvorte kaptis mian manon. Lia rigardo restis kvazaŭ algluita al la fundo de la pirogo. Por interrompi la silenton, mi demandis:

- Kumeŭaŭa, ĉu vi iam estia sur ŝipo?

- Neniam.

- Venu, mi volas montri ĝin al vi.

La ŝipestro volonte permesis ke mi gvidu la knabon tra la ŝipo. Kun admiro li rigardis la malpurajn kaj senordajn ejojn de nia ŝipeto. Li eĉ ne rimarkis la katastrofan efikon de ĝia tritaga restado sub akvo.

La vizito finiĝis. La knabo sin preparis por

forlasi la ŝipeton. Ni haltis por momento. Tiam mi deprenis la tropikan kaskon[67] de mia kapo kaj transdonis ĝin al la knabo.

- Prenu tiun ĉi kaskon, ĝi bone staros al vi. Kaj se iu demandos vin, de kie vi ĝin havas, diru ke donacis ĝin al vi via amiko Njikuĉap.

Li prenis la kaskon, kaj liaj okuloj ekbrilis, kvazaŭ du larmoj estus disfluintaj en ili.

La knabo descendis en sian pirogon. Li movetis la lipojn, kvazaŭ li volus ion diri, sed nenian voĉon mi povis aŭdi.

Subite li prenis sian arkon kaj sagon, ekcelis kaj elpafis la sagon en direkton de la oranĝkolora disko de la suno, dronanta en la larĝan riveron, ie malproksime. La sago ekflugis alten kaj post longa arka vojo descendis kaj eniĝis en la akvon.

La knabo kaj mi sekvis la sagon per rigardo. Tiam subite, per rapida movo li eltiris de malantaŭ sia kapo la aglan plumon kiun li ĉiam tie portis, kaj etendis ĝin al mi:

- Tenu tion ĉi! Mi devi rapidi por trovi mian sagon, antaŭ ol ĝi malaperi!

Kaj li komencis padeli kun grandega rapideco, helpata de la akvofluo.

---

67) kask-o ①투구, 철모. ②(햇빛을 가리기 위한)챙이 넓은 모자. =sun ~ o. ③(미장원에서)여자의 머리를 말리는 전기 모자. ~okresto 투구의 꼭대기 장식.

Li alvenis sur la lokon, kie la sago estis falinta, kaj trapadelis similan distancon du kaj tri, kaj ankoraŭ multajn fojojn. Kaj mi ankoraŭ longe staris tie, apogita sur la barilon de la ferdeko, turnante inter la fingroj la aglan plumon.

Kumeŭaŭa kaj lia pirogo fariĝis ĉiam pli malgrandaj, ĝis kiam ilin englutis la ruĝaj kaj oranĝaj strioj de la ĉielo kaj la akvo.

- Ho, la knabeto trompis nin! ekkriis unu el la pasaĝeroj. - Li reportis la saketon kun la mono kaj lasis ĝin sur la ŝipo.

Ankoraŭfoje mi ekrigardis okcidenten. Kiam la ŝipeto ekmoviĝis meze de la bruo de la motoro, Kumeŭaŭa jam ne estis videbla.

Mi retenis nur lian bildon en mia imago. Kaj la spiriton de la maljuna Maloa.

Kaj la aglan plumon, kiun mi ankoraŭ hodiaŭ gardas. En la malfacilaj momentoj de la vivo mi ekturnetas ĝin inter la fingroj. Tiam mi rememoras mian etan amikon el la amazoniaj ĝangaloj. Lia optimismo infektas min. Mi ekridetas, kaj denove ĉio aspektas pli bele...

Komentario

Tio estas la rakonto de 12-jaraĝa Kumeŭaŭa, hinda tribo vivanta proksime de la Amazono, kiu helpas vojaĝantojn en problemo kiam ilia boato estas blokita en submara maljuna arbo dum vojaĝado en Amazono.

Dum la boato pleniĝas je akvo, maristoj kaj vojaĝantoj haste forlasas la boaton kaj surbordigas ĝin. Feliĉe, la boato estas blokita en maljuna arbo kaj restas tie.

Kumeŭaŭa helpas, citante la malnovan Maloa, dirante, "Kiu helpis al homo en malfacilaĵo, helpis al si mem.." Ĉu ĝi estas manĝaĵo, fajrejo, aŭ farante ŝnurojn por transporti la boaton, la skipo riparas la boaton, metante la pasaĝerojn reen surŝipe, kaj protektante iliajn porvivaĵojn kaj sekurecon dum pluraj tagoj antaŭ ol ili foriras sekure. La vivmaniero en la Amazona regiono helpi unu la alian sentis tiel bela, ke mi ankaŭ volas renkonti Kumeŭaŭa.

Malfacilaj vortoj estas klarigitaj, por ke oni povu legi ilin sen vortaro. Mi esperas, ke vi havas agrablan legotempon. Dankon al la edzino de la aŭtoro pro permeso eldoni.

- Oh Tae-young (mateno)